Книга воина света

«София»
2005

Пауло Коэльо

Книга воина света

УДК 821.134.3
ББК 84(70Бр)
К76

Перевод с португальского
Александра Богдановского

К76 **Коэльо Пауло**
Книга воина света / Перев. с португ. —
М.: ООО Издательский дом «София», 2005. — 160 с.

«Книга воина света» приглашает каждого из нас погрузиться в мир нашей мечты, легко воспринимать непредсказуемость жизни и быть достойными своей уникальной судьбы. Своим неповторимым стилем Пауло Коэльо помогает каждому из нас обнаружить в себе своего собственного воина света. Короткие вдохновляющие притчи приглашают нас вступить на путь воина, на путь тех, кто ценят волшебство жизни; тех, кто признают свои поражения и не останавливаются; тех, кто ищут Свою Стезю и находят ее.

http://www.PauloCoelho.com

ISBN 5-9550-0039-9

ДРУГИЕ КНИГИ ПАУЛО КОЭЛЬО

Заир

Алхимик

Вероника решает умереть

Пятая гора

Дьявол и сеньорита Прим

На берегу Рио-Пьедра села я и заплакала

Одиннадцать минут

Уже первые книги Пауло Коэльо «Дневник мага» (1987) и «Алхимик» (1988) сделали его одним из самых известных писателей нашего времени.

Потом были «Узда» (1990), «Валькирии» (1992), «На берегу Рио-Пьедра села я и заплакала» (1994), «Мактуб» (1994), «Пятая гора» (1996), «Книга воина света» (1997) и «Вероника решает умереть» (1999).

И, наконец, в 2001 году — новый роман, «Дьявол и сеньорита Прим», завершение трилогии, в которую входят «На берегу Рио-Пьедра...» и «Вероника...».

Назначенный советником ЮНЕСКО, он занимался проблемами африканского континента. За свою деятельность он получил высочайшие отзывы и международные премии, а в 1996 году министр культуры Франции удостоил его звания Кавалера Ордена искусств и литературы. В 1999 году ему были вручены «Хрустальная награда—1999» Мирового экономического фонда и престижная награда Кавалера Ордена Почетного легиона, присуждаемая правительством Франции.

Согласно списку, опубликованному журналом «Лир», в 1998 году, Пауло Коэльо оказался вторым в числе наиболее читаемых в мире авторов. Его книги опубликованы более чем в 100 странах мира.

Пролог

*«Ученик не бывает выше своего учителя;
но, и усовершенствовавшись, будет всякий,
как учитель его».*

Лк VI:40

К востоку от деревни, на берегу моря стоит исполинский храм с множеством колоколов, — промолвила женщина.

Мальчик заметил, что она облачена в необычные одежды, а на голове у нее покрывало. Он никогда не встречал ее прежде.

— Видишь? — продолжала она. — Ты пойдешь туда и расскажешь обо всем, что найдешь там.

Мальчик, очарованный ее красотой, отправился, куда было сказано. Сел на песок, устремил взгляд на горизонт, но увидел то же, что привык видеть всегда — синее небо и океан.

В разочаровании он добрел до соседней рыбачьей деревушки, спросил тамошних жителей, не знают ли те, где остров, на котором стоит храм.

— А-а, так ведь это же было давным-давно, во времена моих прадедов, — ответил ему старый рыбак. — Потом случилось землетрясение, и остров погрузился в пучину. Он скрылся под водой, но мы, хоть и не видим его больше, все же слышим изредка, как из глубины доносится звон его колоколов.

Мальчик вернулся на берег, стал прислушиваться в надежде уловить этот звон. До вечера сидел он у моря, но слышал только, как шумят волны да кричат чайки.

Когда спустилась ночь, пришли за ним родители, увели домой. А наутро он уже снова был на берегу, ибо не мог поверить, чтобы такая прекрасная женщина солгала ему.

Если когда-нибудь они встретятся вновь, он вправе будет сказать, что острова не видел, но зато слышал, как подводные течения, раскачивая колокола храма, заставляли их звучать.

Так прошло много месяцев; красавица так и не вернулась, и мальчик позабыл ее; теперь он был непреложно уверен, что должен добыть сокровища затонувшего храма. По звону колоколов он определит, где тот находится, и тогда сумеет найти спрятанные сокровища.

Он потерял интерес к школе и к тем, с кем дружил прежде. Он сделался излюбленной мишенью для насмешек и острот своих сверстников, твердивших: «Он — не такой, как мы. Часами он созерцает море, вместо того чтобы играть с нами».

И, глядя, как он сидит на берегу, все потешались над ним.

Ему так и не удалось услышать звон колоколов, но мальчик научился кое-чему другому. Мало-помалу он начинал понимать, что рокот волн, который он слушает столько дней, уже не отвлекает его, а потом — и довольно скоро — привык и к крикам чаек, и к жужжанию пчел, и к шуму ветра в кронах пальм.

Шесть месяцев минуло со времени его встречи с красавицей, и мальчик был теперь способен не отвлекаться ни на какой шум — но и звона колоколов на затопленном храме больше не слышал.

Приходили к нему рыбаки, настойчиво говорили: «Мы слышали!»

А мальчик услышать не мог.

По прошествии еще некоторого времени рыбаки заговорили с ним по-другому: «Ты, — сказали они, — чересчур озаботился тем, чтобы услышать звон, идущий из глубины; забудь о нем, возвращайся к друзьям и прежним забавам. Быть может, только рыбакам дано услышать эти колокола».

А когда прошло уже около года, подумал мальчик: «Может быть, они правы. Вырасту, стану рыбаком и не буду больше каждое утро приходить сюда, потому что мне больше не нравится этот берег». И еще подумал: «Наверное, все это — легенда, а если и нет, то от землетрясения колокола разбились и никогда больше не будут издавать звон».

В тот день он решил вернуться домой.

Ему захотелось вплотную подойти к самой кромке берега — попрощаться с океаном. Еще раз он окинул взглядом все, что окружало его, и — раз уж не надо было больше прислушиваться, не раздастся ли звон колоколов, — сумел улыбнуться, внимая крикам чаек, рокоту волн, шуму ветра в кронах пальм. Издали донеслись до него голоса друзей, и он обрадовался тому, что совсем скоро вернется к детским своим забавам.

Да, он испытывал радость и чувство благодарности за то, что живет на свете, — эта благодарность доступна только детям. Он был уверен в том, что не потратил время впустую, ибо научился созерцать и почитать Природу.

И вот потому, что внятны стали для него рокот волн, крик чаек, шелест листьев, голоса играющих вдалеке друзей, он услышал и первый удар колокола.

Потом еще один.

Потом еще и еще, и вот, вселяя в его душу ликование, зазвонили все колокола затопленного храма.

Спустя много лет, уже взрослым, он вернулся в ту деревню на берегу, где прошло его детство. Он давно оставил мысль о том, чтобы поднять со дна морского лежавшие там сокровища: быть может, все это существовало давным-давно лишь в его воображении, и не было того затерянного в глубинах детской памяти вечера, когда до него донесся звон храмовых колоколов. И все же ему захотелось пройтись по берегу, послушать шум ветра и крик чаек.

И безмерно было его удивление, когда он увидел — на песке сидит та самая женщина, что рассказала ему о храме на острове.

— Что вы здесь делаете? — спросил он.

— Жду тебя, — отвечала она.

Хотя минуло уже много лет, женщина выглядела в точности так же, как и в день их первой встречи, и покрывало, под которым она прятала волосы, с годами не выцвело и не истрепалось.

Она протянула ему чистую тетрадь в синей обложке.

— Пиши: «*Воин света* внимательно вглядывается в детские глаза, ибо им дано видеть мир, лишенный горечи. Когда воин света хочет узнать, достоин ли доверия тот, кто рядом с ним, он старается увидеть его глазами ребенка».

— А кто такой «воин света»?

— Сам знаешь, — с улыбкой отвечала она. — Тот, кто способен постичь чудо жизни, бороться до конца за то, во что верует, и слышать колокольный звон, доносящийся из морской пучины.

Он никогда не считал себя воином света. А женщина, похоже, прочла его мысль и сказала: «На это способны *все*. И, хотя никто не считает себя воином света, каждый человек может стать им».

Он проглядел страницы тетради. Женщина снова улыбнулась.

— Пиши о воине света, — сказала она.

Книга воина света

Воин света помнит добро.

В битве ему помогают ангелы; силы небесные все расставляют по своим местам, давая ему возможность реализовать себя наилучшим образом.

«Как ему везет!» — говорят его товарищи. А воину порой удается такое, что превыше сил человеческих.

И потому, на восходе солнца, он преклоняет колени и благодарит за Благодетельный Покров, осеняющий его.

Но благодарность воина не ограничивается лишь духовной сферой; он никогда не забывает друзей, ибо они вместе проливали кровь на поле битвы.

Воину нет необходимости напоминать о помощи, оказанной другими; он всегда сам помнит об этом и делит с ними награды.

Все пути в мире ведут к сердцу воина; он без колебаний бросается в стремнину страстей, которыми неизменно полна его жизнь.

Воин знает, что волен избрать желанное ему; он принимает решения с отвагой и без оглядки, а иногда — очертя голову.

Он принимает свои страсти и пожинает их плоды. Он знает — не следует отвергать восторг, даруемый победами; победы — это часть жизни, и они веселят душу тех, кто их добивался.

Но никогда воин не теряет из виду то, что создается на века, помнит, сколь прочны эти узы и сколь бессильно перед ними время.

Воин умеет отличать преходящее от окончательного.

Воин света рассчитывает не только на собственные силы, но использует также энергию своего противника.

Он вступает в схватку, вооруженный лишь воодушевлением и искусством наносить и отражать удары — приемами боя, которым долго учился. Но потом сознает, что ни воодушевления, ни навыка не достаточно для победы — нужен еще и опыт.

И тогда он открывает свое сердце Вселенной и просит, чтобы Бог вразумил и вдохновил его на то, чтобы каждый удар противника преподавал ему новый урок в науке защиты.

«Он полон предрассудков, — говорят его спутники. — Он прекращает бой и молится; а противнику только того и надо».

Воин остается глух к насмешливым словам, ибо знает — без воодушевления и опыта всякое обучение пропадет впустую.

Воин света никогда не пойдет на коварство, но умеет сбить противника с толку и ввести в заблуждение.

Как бы ни обуревала его душу жажда победы, для достижения желанной цели он не гнушается игрой, и в этом становится стратегом. Чувствуя, что силы его на исходе, он заставляет противника думать, будто просто никуда не торопится. Собираясь атаковать правый фланг, он ведет свои войска на левый. Готовясь вступить в бой немедленно, притворяется, что его одолевает дремота и что он готовится ко сну.

«Глядите, как упал его боевой дух», — говорят друзья. Однако воин пропускает их замечания мимо ушей, ибо даже друзьям не дано постичь тех хитростей и уловок, которые он применяет в сражении.

Воин света знает, чего хочет. И не нуждается в том, чтобы объяснять свои планы.

Вот что говорил о стратегии воина света китайский мудрец:

«Заставь своего врага уверовать, что он немногого достигнет, напав на тебя, и тем самым ты ослабишь его боевой задор.

Если понял, что враг обладает перевесом, не стыдись оставлять ему поле битвы, ибо важен не итог отдельного сражения, но окончательный исход войны.

Если у тебя достаточно сил, отринь ложный стыд и притворись слабым: это заставит врага потерять осторожность и напасть на тебя, не дожидаясь благоприятного момента.

Умение взять противника врасплох— это залог победы в войне».

Странно, — рассуждает сам с собой воин света. — Мне встречалось такое множество людей, которые при первой же возможности стремились показать себя с самой дурной стороны. За воинственным напором они прячут внутреннюю силу; страх одиночества таят под маской независимости. Они не верят в собственные возможности, но на всех углах кричат о своих добродетелях и достоинствах».

Воин видит эти свойства у многих мужчин и женщин, которых знавал. Но никогда не поддается он на обман, не доверяет первому впечатлению, а если его желают поразить или заинтересовать, упорно хранит молчание. Но неизменно пользуется он всяким удобным случаем, чтобы исправить свои недостатки, ибо как в зеркале видит себя в других людях.

Воин всегда открыт для того, чтобы учиться чему-либо новому.

Воин света порою противоборствует тем, кого любит.

Человек, оберегающий своих друзей, не дрогнет перед бурями бытия, но всегда найдет в себе силы для того, чтобы преодолевать трудности и двигаться вперед.

А между тем часто случается так, что люди, которых он тщится обучить искусству боя, бросают ему вызов. Его ученики вызывают его на поединок.

Тогда воин показывает, на что способен, и несколькими ударами выбивает оружие из рук ученика — меч летит на землю, и гармония вновь воцаряется на месте их встречи.

«Зачем ты, настолько превосходя их, делаешь это?» — спрашивает его путешественник.

«Когда мне бросают вызов, это на самом деле значит, что они хотят говорить со мной, и я таким образом веду с ними диалог», — отвечает воин.

Воин света, прежде чем вступить в бой, от исхода которого многое зависит, задает себе вопрос: «Насколько сумел я развить в себе проворство и ловкость?»

Ибо он знает, что каждая из его прошлых битв чему-нибудь да научила его. И вместе с тем преподанные ему уроки заставляли воина страдать больше, чем нужно. Не раз случалось ему терять время попусту, сражаясь за ложь. Не раз приходилось страдать из-за тех, кто был недостоин его любви.

Победители не повторяют былых ошибок. И потому воин рискует сердцем своим лишь ради того, что стоит риска.

Воин света чтит основное положение И Цзина: «Настойчивость полезна».

Он знает, что упрямство не имеет ничего общего с настойчивостью. Ибо бывают времена, когда битвы, длящиеся дольше, чем это необходимо, истощают силы и гасят воодушевление.

И в такие минуты воину приходит на ум: «Затянувшаяся война в конце концов уничтожает и самого победителя».

И тогда он уводит свои полки с поля битвы и дает передышку себе самому. Он упорен в исполнении своей воли, но умеет улучить благоприятный момент и начать новое наступление.

Воин всегда возвращается к борьбе, но не потому, что он упрям. Нет, он замечает, что время изменилось.

Воин света знает, что иные минуты имеют свойство повторяться.

Часто сталкивается он с трудностями, которые некогда уже преодолевал, и оказывается в сложном положении, из которого уже выходил с честью, и это смущает его дух: ему кажется, что если все повторяется, то он топчется на одном месте, не в силах двинуться вперед.

«Я ведь проходил через это», — сетует он сердцу своему.

«Проходил, — отвечает ему сердце. — Но так и не прошел».

И воин тогда сознает, что судьба посылает ему повторение опыта с единственной целью — научить его тому, что он не пожелал усвоить сразу.

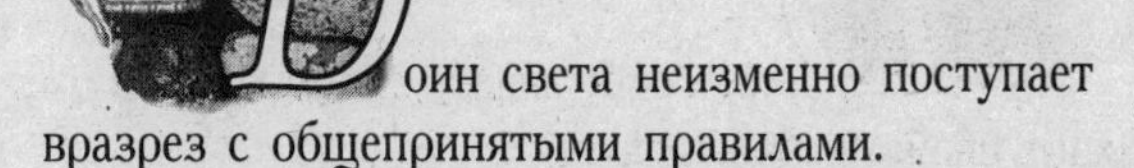

Воин света неизменно поступает вразрез с общепринятыми правилами.

С него станется пуститься в пляс на улице по пути на работу, взглянуть в глаза незнакомцу, признаться в любви с первого взгляда, отстаивать воззрение, кажущееся нелепым. Воин света позволяет себе такое.

Он не страшится плакать, вспоминая былые горести, или ликовать в преддверии новых открытий. Чувствуя, что час настал, он все бросает, устремляясь в рискованное и столь желанное предприятие. Понимая, что его способность сопротивляться вот-вот истощится, он выходит из боя и не винит себя за то, что совершил одно или два неожиданных безумства.

Воин не проводит дни свои в стремлении исполнить ту роль, которую предназначили ему другие.

Воины света стремятся, чтобы не померкло сияние в их глазах.

Они живут в мире сем, они не чуждаются других людей, они пускаются в путь без посоха и сандалий. Нередко их обуревает страх. Не всегда поступают они правильно.

Они страдают из-за пустяков, они бывают мелки и суетны, а порой считают, что не способны расти. Нередко они убеждены, что недостойны благодати или чуда.

Не всегда уверены они в том, что же именно делают они здесь. Они проводят ночи без сна, страдая оттого, что жизнь их лишена смысла.

Вот потому они — воины света. Потому что ошибаются. Потому что терзают себя вопросами. Потому что ищут причину, ищут и, без сомнения, когда-нибудь найдут.

Воин света не боится показаться безумным.

Вслух и в полный голос разговаривает он сам с собой. Некто внушил ему, что это — наилучший способ общения с ангелами, и вот он рискнул вступить с ними в связь.

Поначалу ему представляется это очень трудным. Он думает, что ему нечего сказать им, что он будет лишь повторять бессмыслицу и чушь. И все же воин настаивает и упорствует и каждый день ведет беседу с собственным сердцем. И произносит то, с чем не согласен, и говорит глупости.

Но вот в один прекрасный день он замечает, что голос его звучит иначе. И понимает тогда, что открыл путь для постижения высшей мудрости.

Воин света порою кажется сумасшедшим, но это всего лишь притворство.

Воин света сам выбирает себе врагов», — сказал поэт.

Воин знает, на что способен. Ему нет нужды хвалиться своими дарованиями и добродетелями. Однако в любую минуту может появиться тот, кто пожелает доказать, что он — лучше.

А для воина не существует понятий «лучше» или «хуже», ибо в его глазах каждый одарен достаточно, чтобы следовать избранной стезей.

Но есть люди, которых это не устраивает. Они стараются задеть или оскорбить его, вызвать его на ссору, сделать все, чтобы вывести его из себя. И в такие минуты сердце говорит воину: «Отринь оскорбление, оно не усилит твои способности. Ты лишь впустую потеряешь силы».

Воин света не тратит времени понапрасну, отвечая на вызов, ибо знает: то, что написано у него на роду, должно исполниться.

Воин света вспоминает слова Джона Беньяна*:

«Хотя я прошел через все то, что прошел, я не сожалею, что попадал в те или иные затруднительные ситуации, ибо именно они привели меня туда, куда я желал попасть. Ныне у меня нет ничего, кроме этого вот меча, и я вручу его всякому, кто намеревается свершить свое паломничество. Я несу с собой рубцы и шрамы — следы ран, полученных в битвах. Это — и свидетельство того, что я жил, и награды за то, что покорил и завоевал.

Эти дорогие моему сердцу рубцы и шрамы откроют мне врата Рая. Было время, когда я выслушивал истории о чьей-то храбрости. Было время, когда я просто жил — всего лишь потому, что должен был жить.

А сейчас живу потому, что я — воин, и потому, что хочу когда-нибудь предстать перед Тем, за кого столько сражался».

---

* Беньян Джон (1628—1688), английский писатель-пуританин, автор романа «Путь паломника».

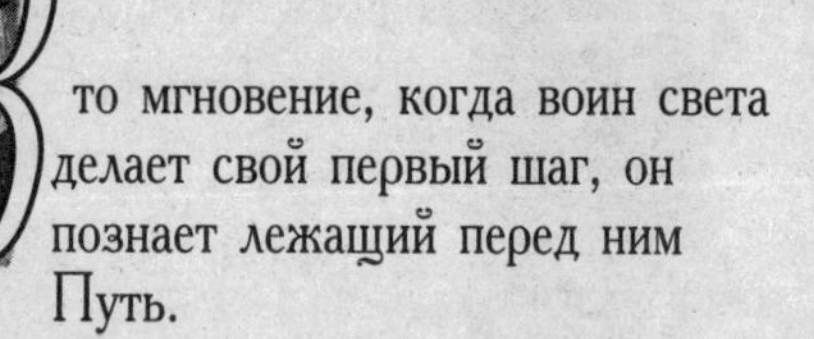

В то мгновение, когда воин света делает свой первый шаг, он познает лежащий перед ним Путь.

Каждый камень, каждый изгиб дороги приветствуют его. Он ощущает свое кровное родство с горами и ручьями, он чувствует, что часть его души заключена в кустах и травах, в зверях и птицах.

И тогда, принимая помощь Бога и Божьих Знамений, он позволяет Своей Стезе вести его туда, где ожидают решения задачи, поставленные жизнью.

Порой бывает, что ему негде ночевать, порой его мучает бессонница. «Ничего, — думает воин. — Это входит в профессию. Меня же никто не заставлял идти таким путем. Я сам так решил».

В этих словах заключена вся его мощь: он выбрал свою стезю, и ему не на что сетовать, не на кого жаловаться.

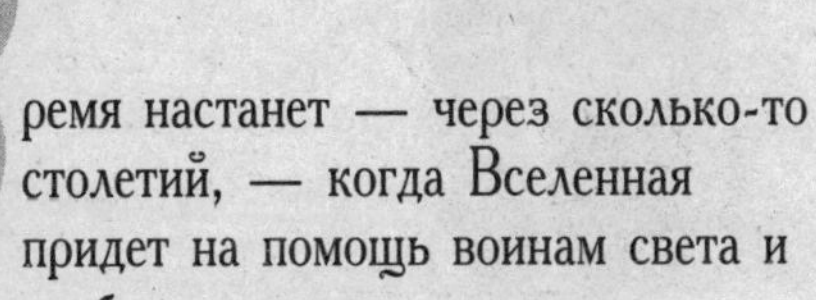

Время настанет — через сколько-то столетий, — когда Вселенная придет на помощь воинам света и останется глуха и безразлична к тем, кто не освободился из-под власти предрассудков.

Энергия Земли требует обновления.

Новые идеи требуют пространства.

Плоть и дух требуют новых вызовов.

Грядущее обернется настоящим, и мечты — кроме тех, в которых сокрыты предрассудки, — получат возможность стать явью.

Важное — пребудет; бесполезное — сгинет. Воин, впрочем, не дает себе труда размышлять о снах ближнего своего и оценивать их. И он не станет тратить времени на порицание решений, принятых другими.

Ибо для того, чтобы веровать в свою стезю, нет нужды доказывать, что другой избрал себе неверный путь.

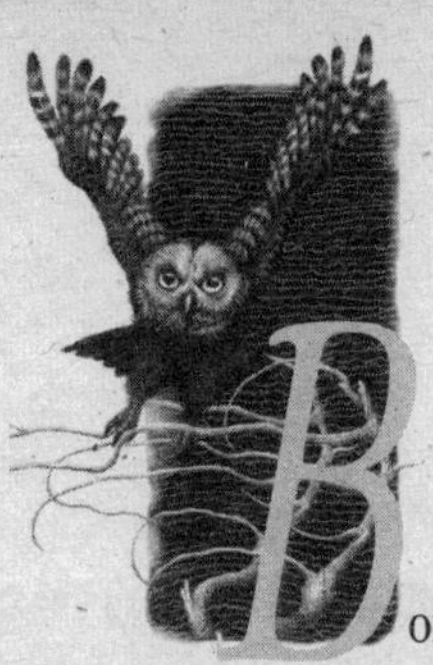

Воин света с великим тщанием изучает то, что намерен покорить.

Как бы ни был труден путь к цели, всегда есть приемы и способы одолеть преграды. Воин ищет обходные пути, точит свой меч, старается сделать так, чтобы душа исполнилась стойкости, без которой нельзя достойно принять вызов.

Но вот, уже продвигаясь по этому пути, сознает воин, что существуют трудности и препятствия, которых не принимал в расчет.

Если он станет дожидаться наиболее благоприятного момента, то никогда не сдвинется с места; чтобы сделать первый шаг, нужна малая толика безумия.

Воин света умеет ставить это безумие себе на службу. Ибо все предусмотреть невозможно — особенно на войне, особенно в любви.

Воин света знает свои слабые стороны. Но знает и то, чем одарен.

Иные жалуются: «Нам не представилось возможности».

Быть может, они правы, но воин никогда не даст себе оцепенеть по этой причине — нет, он напряжет до последнего предела силы и дарования.

Он знает, что лань сильна проворством своих ног, а чайка — тем, как зорко высмотрит рыбу, как метко выхватит ее из воды. Воин знает, что тигр не боится гиены, ибо уверен в своей мощи.

И тогда воин старается постичь, на что же он может рассчитывать. И он проверяет свое вооружение, а состоит оно из трех вещей — веры, надежды, любви.

Если в наличии и первое, и второе, и третье, воин без колебаний продолжает путь.

Воин света знает, что никого нельзя считать глупцом и что жизнь научит любого — пусть даже для этого потребуется время.

Воин дает лучшее из того, что есть в нем, и того же ожидает от других. И вдобавок он великодушно и щедро старается показать всему миру, на сколь многое способен каждый человек.

«Люди неблагодарны», — замечают по этому поводу иные его товарищи.

Воина такими речами не смутить. Он продолжает поощрять своего ближнего и побуждать его к действию, ибо тем самым воздействует и на самого себя.

Всякому воину света уже случалось испытывать страх перед боем.

Всякому воину света уже случалось в прошлом лгать и предавать.

Всякому воину света уже случалось брести не своим путем.

Всякому воину света уже случалось терзаться из-за сущих пустяков.

Всякому воину света уже случалось приходить к выводу, что он — не воин света.

Всякому воину света уже случалось поступаться своим духовным долгом.

Всякому воину света уже случалось говорить «да», когда хотелось сказать «нет».

Всякому воину света уже случалось наносить раны тем, кого он любил.

Вот потому он и вправе называться воином света, что прошел через все это и не утратил надежды стать лучше, чем был.

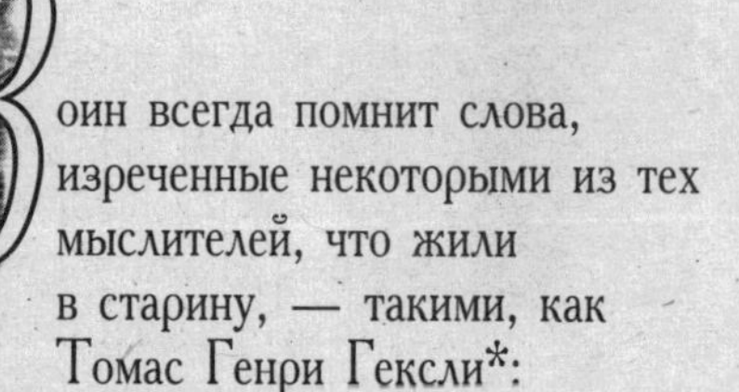

Воин всегда помнит слова, изреченные некоторыми из тех мыслителей, что жили в старину, — такими, как Томас Генри Гексли*:

«Последствия предпринимаемых нами действий ошеломительны для трусов, но для мудрецов они — словно лучи света.

Мир подобен шахматной доске. Фигуры — это наши повседневные поступки; правила игры — это так называемые законы природы. Мы не можем увидеть Того, с Кем играем, но нам известно: Он справедлив, терпелив, честен».

Воину пристало принимать брошенный ему вызов. Он знает, что Бог не пропустит ни единой ошибки, совершенной теми, кого Он любит, и не допустит, чтобы предпочтенные Им притворялись, будто им неведомы правила игры.

---

* Гексли (Хаксли) Томас Генри (1825—1895), английский биолог-дарвинист и философ.

Воин света не изменяет своих решений. Прежде чем приступить к действиям, он предается продолжительным размышлениям — оценивает степень своей готовности, меру своей ответственности, свой долг перед наставником. Стараясь сохранить душевное равновесие, он кропотливо исследует каждый свой шаг — так, словно от него зависит все.

Но в тот миг, когда решение принято, воин уже движется вперед без оглядки: у него нет сомнений в правильности сделанного им выбора, и, даже если обстоятельства оказываются не такими, как он представлял, воин не сворачивает с избранной стези.

И, если его решение было верным, он одерживает победу в битве — пусть даже будет она более долгой, чем представлялось прежде. Если же решение было ошибочным, он потерпит поражение и вынужден будет все начинать сначала — но уже во всеоружии горького опыта.

Воин света, однажды начав, идет до конца.

Воин знает, что наилучшие наставники — это люди, рядом с которыми выходит он на поле брани.

Опасно спрашивать совета. Стократ опасней давать совет. Когда воину нужна помощь, он прежде всего старается понять, как ведут себя в затруднительных положениях его друзья — как действуют они или почему бездействуют.

Ища вдохновенного наития, он по губам стоящего рядом читает слова, которые нашептывает ему его ангел-хранитель.

Утомясь или оказавшись в одиночестве, он не уносится мыслями к далеким мужчинам и женщинам, но ищет тех, кто находится вблизи, и с ними разделяет свою тоску, у них ищет ласки —не мучаясь сознанием своей вины и с наслаждением.

Воин знает: самая далекая во Вселенной звезда обнаруживает свое присутствие в том, что его окружает.

Воин света делит свой мир с людьми, которых любит.

Он стремится воодушевить их на такие поступки, совершить которые они хотели бы, да не решаются. И в такие минуты появляется Враг со скрижалями в руках.

На одной скрижали написано: «Думай в первую очередь о себе. Береги благодать прежде всего для себя самого, иначе в конце концов все потеряешь».

На другой читает воин такие слова: «Кто ты такой, чтобы помогать другим? Неужели не способен ты увидеть собственные пороки?»

Воин знает, что не лишен слабостей и недостатков. Но знает также и то, что не может расти в одиночку и удалиться от своих товарищей.

И тогда воин, хоть и согласен с тем, что выбитое на них отнюдь не лишено смысла, бросает наземь скрижали, и они рассыпаются в прах. А воин по-прежнему воодушевляет ближних своих.

Великий мудрец Лао-цзы так рассуждает о пути, совершаемом воином:

«Путь включает в себя уважение ко всему малому и хрупкому. Всегда стремись уловить тот миг, когда следует предпринять должные шаги.

Даже если ты уже овладел искусством стрельбы из лука, все равно внимательно следи за тем, как ты накладываешь стрелу, как натягиваешь тетиву.

Новичок, твердо сознающий свои потребности, оказывается в конечном счете умнее рассеянного мудреца.

Сосредоточение в себе любви означает счастье, сосредоточение ненависти означает потрясения. Тот, кто не сумел распознать трудность, оставляет дверь открытой, и тем порождает бедствия.

Бой не имеет ничего общего с дракой».

Воин света предается медитациям.

Он садится в тот угол своего шатра, куда не проникает шум, и подставляет себя божественному свету. При этом он старается ни о чем не думать; мысленно отстраняется от поиска удовольствий, от брошенных вызовов и откровений, давая проявиться своим дарованиям и силам.

Даже если в этот самый миг он и не ощутит их присутствия, они повлияют на его жизнь, воздействуют на повседневное бытие.

Воин, покуда он медитирует, становится уже не тем, каким был прежде, — теперь он охраняет Душу Мира. Именно такие мгновения позволяют ему постичь меру ответственности, лежащей на нем, и поступать в согласии с ней.

Воин света знает, что там — в безмолвии его сердца — существует некий порядок, направляющий его.

В отведенный для беседы час говорит Херригель своему наставнику: «Когда я натягиваю лук, наступает такой миг, когда становится ясно: если я прямо сейчас не спущу тетиву, то потеряю решимость».

«Пока ты не перестанешь мысленно подгонять миг выстрела, ты не овладеешь искусством стрельбы из лука, — отвечает наставник. — Бывает порой, что промах объясняется чрезмерным жаром и излишним пылом стрелка».

Воин света иногда думает: «То, что я не сделал, не будет сделано никогда».

Это не совсем так: он должен действовать, но должен и покорно ждать, когда в нужное время вступит в действие Вселенная.

Воин света, испытав допущенную по отношению к нему несправедливость, старается остаться один — дабы никто не видел, как он страдает.

Это и хорошо, и плохо.

Ибо одно дело — предоставить своему сердцу самому залечить нанесенные ему раны. И совсем другое — провести в глубоких размышлениях целый день, боясь выказать перед посторонними слабость.

Ибо в каждом из нас живут ангел и демон, и голоса их порой неразличимы. И когда мы оказываемся в трудном положении, демон поддерживает этот разговор, который мы ведем сами с собой, ибо он стремится показать нам, как мы уязвимы и беззащитны. Ангел же заставляет нас размышлять о наших поступках, и ему иногда нужны чьи-нибудь уста, чтобы высказаться.

Воин умеет сохранять равновесие между одиночеством и зависимостью.

Воин света не может обойтись без любви.

Потребность дарить тепло и ласку заложена в самой его природе, подобно потребности есть и пить, подобно удовольствию от Праведного Боя. Если солнце заходит, а воин не испытал счастья, значит, что-то неправильно.

И тогда он прерывает бой и отправляется на поиски спутника, чтобы с наступлением вечера не оказаться одному.

Если же ему трудно найти спутника, он вопрошает себя: «Неужели я боюсь приблизиться к кому-то? Неужели я получил тепло и ласку, но не заметил этого?»

Воин света пользуется одиночеством, но не позволяет, чтобы одиночество воспользовалось им.

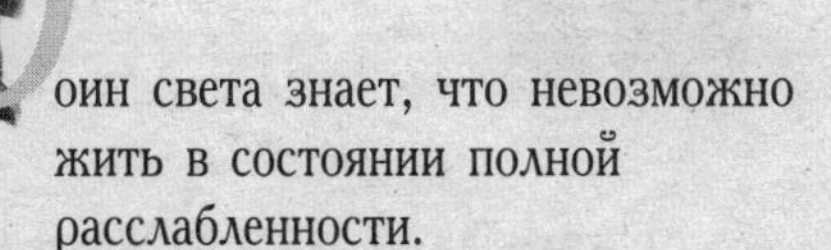

Воин света знает, что невозможно жить в состоянии полной расслабленности.

Он уподобляется лучнику, которому, чтобы поразить отдаленную цель, должно натянуть тетиву своего лука. Он учится у звезды, блеск которой мы замечаем лишь после того, как она взорвалась. Он замечает, что конь, преодолевая препятствие, напрягает все мышцы.

Но он умеет различать напряжение и зряшную суетливость и никогда не путает одно с другим.

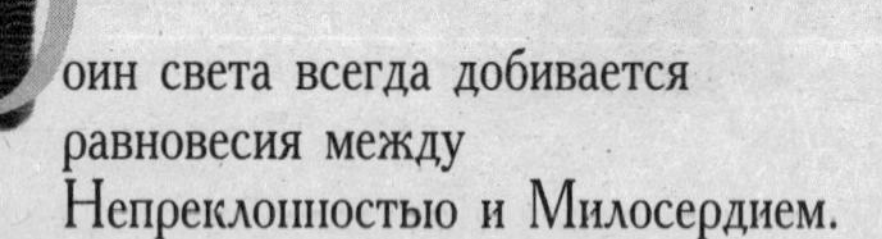

Воин света всегда добивается равновесия между Непреклонностью и Милосердием.

Чтобы мечта сделалась явью, воля должна быть тверда и могуча, а при достижении цели следует помнить, что путь, ведущий к ней, в действительности, далеко не всегда похож на тот, что представал нашему воображению.

Поэтому воин умеет и приказывать, и сочувствовать. Бог никогда не покинет детей Своих, но предначертания Его непостижимы, и дорога, которую Он нам уготовил, проложена нашими же собственными шагами.

Умение повелевать, равно как и подчиняться, одушевляет воина. Укоренившаяся привычка не может определять важные поступки.

Воин света порой подобен струящейся воде, обтекающей препятствия, которые встретились ей на пути.

Бывает так, что сопротивление приведет к неминуемой гибели, и тогда воин применяется к обстоятельствам. Без жалоб и сетований он следует по каменистой тропе, вьющейся вдоль горных ущелий.

И сила его сродни силе воды, ибо никто покуда не сумел разбить воду молотом или пронзить ножом. Самый могучий на свете меч не в силах оставить шрам на ее поверхности.

Воды реки применяются к возможностям и особенностям пути, но всегда помнят при этом о главной цели — о море. Слабый ручеек постепенно обретает силы от встреч с другими реками.

И вот приходит миг, когда мощь воды становится необорима.

Для воина света не существует отвлеченных понятий.

Все вещественно и определенно, и все внушает ему уважение. Воин света не сидит в покое и прохладе своего шатра, со стороны наблюдая за тем, что происходит в мире, — нет, он принимает все вызовы мира, видя в них возможность собственного преображения.

Иные из его товарищей всю жизнь либо сетуют на то, что лишены выбора, либо рассуждают о решениях, принятых другими. Воин света преобразует свою мысль в деяние.

Случается порой, что воин неверно определил себе цель — и тогда, не жалуясь и не ропща, он расплачивается за свою ошибку. Бывает и так, что он сбивается с пути — и тогда долго блуждает, прежде чем вновь выйти на ту стезю, что вела его вначале.

Но с избранного пути воин света не сворачивает.

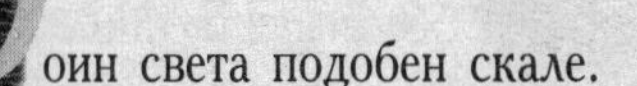

Воин света подобен скале.

Если стоит он на равнине, и все вокруг него исполнено гармонии, он остается непоколебим. Люди могут возводить свои жилища в его сени, дарующей защиту от разрушительных бурь.

Если же судьбе угодно будет поставить его на склон или откос, и находящееся вокруг него лишено будет равновесия и уважения, вот тогда явит он свою мощь и ринется на врага, дерзающего нарушить мир. В такие минуты воин света губителен и смертоносен, и никто не в силах удержать его.

Воин света разом думает и о войне, и о мире и умеет действовать сообразно обстоятельствам.

Воин света, который чрезмерно полагается на остроту своего разума, в конце концов непременно недооценит силу противника.

Не следует забывать: порой мощь действеннее самого изощренного хитроумия.

Четверть часа длится схватка с быком: очень скоро бык понимает, как его обманывают, и следующий его шаг — обрушиться на тореро. И когда это происходит, ни блеск, ни ум, ни убедительность довода, ни то, что называют «*шарм*», не помогут предотвратить беду.

И потому воин света отдает должное грубой силе, противостоящей ему. Когда же ярость ее обретает неистовство, он отступает с поля боя, выжидая, когда сам собой иссякнет этот безудержный порыв.

Воин света умеет распознать противника, который сильнее его.

Он понимает, что, если решит встретиться с ним лицом к лицу, будет немедленно уничтожен. Если поддастся на его хитрость, попадет в ловушку. И потому, чтобы выйти из затруднительного положения, он использует иные методы, именуемые «дипломатией». Когда противник ведет себя как неразумное дитя, он поступает так же. Когда тот вызывает его на бой, воин прикидывается непонимающим.

«Он струсил», — говорят друзья.

Но воину нет дела до их мнений, ибо он знает: отвага и ярость птички не спасут ее от когтей кошки.

В таких обстоятельствах воин запасается терпением — враг скорей уйдет искать другую добычу, чем дождется открытой схватки с ним.

Воин света не может быть безразличен к несправедливости.

Он знает: все на свете взаимосвязано и едино, и потому любое деяние отдельного человека влияет на всех людей, сколько бы ни было их на Земле. И потому при виде чужого страдания он обнажает свой меч, чтобы все расставить по своим местам в должном порядке.

Но, сражаясь с угнетением, никогда не осуждает он угнетателя, ибо помнит: каждому предстоит самому дать ответ за свои дела перед Богом. Исполнив свое поручение, воин воздерживается от каких бы то ни было суждений.

Воин света пришел в этот мир, чтобы помогать своим братьям, а не для того, чтобы осуждать ближнего.

Воин света никогда не испытывает боязни.

Бегство может быть превосходным средством защиты, но нельзя использовать это средство, если ты обуян страхом. Оказавшись перед выбором, воин предпочтет потерпеть поражение и потом исцелять полученные раны, чем пуститься в бегство и тем самым дать захватчику большее и незаслуженное им могущество.

В трудные и горестные минуты, в положении, не сулящем выигрыша, воин ведет себя со смирением и отвагой, то есть героически.

Воин света никогда не спешит.

Время работает на него, и он, зная это, учится обуздывать нетерпение и избегать необдуманных поступков.

Шаг его нетороплив и тверд. Ему ведомо, что настает миг, судьбоносный для истории человечества, и что, прежде чем преобразить мир, должно измениться самому. Потому он повторяет слова Лансы дель Васто: «Чтобы утвердиться, революции требуется известный срок».

Воин никогда не станет срывать недозрелый плод.

Воин света должен быть одновременно и терпелив, и проворен.

Есть две главные стратегические ошибки — поспешить, выступив раньше, чем настанет благоприятный момент, и промедлить, упустив его. И потому, чтобы избежать того и другого, воин каждый случай рассматривает как единственный в своем роде и не пользуется чужими мнениями, общими формулами и готовыми рецептами.

Калиф Моауйат спросил Омира бен Аль-Ааса, в чем секрет его беспримерных политических успехов.

«Никогда не ввязывался я в дело, не изучив предварительно пути к отступлению. Но, однажды ввязавшись, никогда не стремился тотчас же опрометью убежать прочь», — отвечал тот.

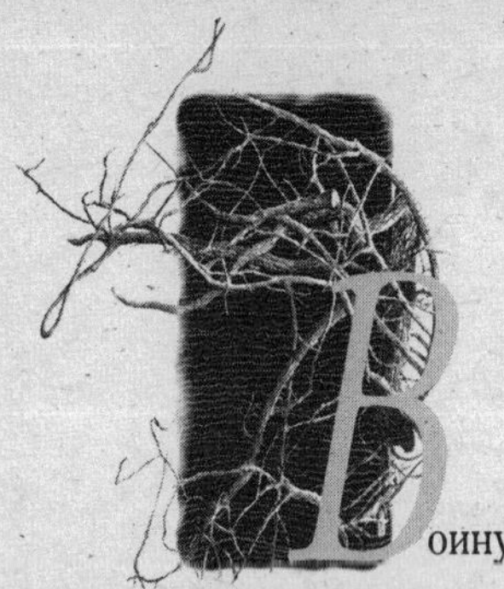

Воину света знакомо уныние.

Иногда ему кажется, что он не в силах пробудить в своей душе желанное чувство. На протяжении многих дней и ночей вынужден он пребывать в угнетенном состоянии, и никакое новое событие не может вернуть ему прежнего воодушевления.

«Борьба его окончена», — говорят друзья.

Воину больно и стыдно слышать такие слова, ибо он знает, что еще не достиг цели, к которой стремился. Однако он упорен и не бросает начатое на полдороге.

И вот в ту минуту, когда сам он меньше всего этого ожидает, открывается перед ним новая дверь.

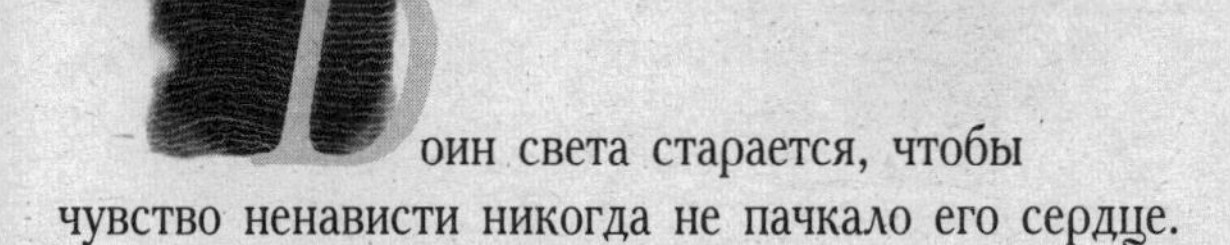

Воин света старается, чтобы чувство ненависти никогда не пачкало его сердце.

Отправляясь на битву, он вспоминает слова Христа: «Возлюбите врагов ваших» — и повинуется этому завету.

Но он знает, что прощение далеко не равнозначно всеприятию. Знает, что воин не должен склонять голову, ибо в этом случае он потеряет из виду горизонт своих мечтаний.

Он готов допустить, что враги существуют для того, чтобы подвергнуть испытанию его отвагу, его упорство, его способность принимать решения. Враги заставляют его сражаться во имя исполнения его мечтаний.

Опыт, полученный в битве, укрепляет дух воина света.

Воин света помнит прошлое.

Ему известно, что такое Духовный Поиск, благодаря которому вписаны в историю человечества некоторые из самых славных ее страниц.

Из самых славных, но и из самых отвратительных — мракобесие, жертвоприношение, кровавые расправы. Духовный Поиск люди применяли в самых разных целях, и воин знает, как часто его идеалы служили прикрытием для чудовищных намерений.

Сколько раз уже приходилось воину слышать нечто вроде: «Откуда мне знать, что этот путь ведет к истине?» Сколько раз приходилось ему видеть людей, которые, не получив на этот вопрос ответа, отринули Духовный Поиск.

Но у воина нет сомнений, ибо он руководствуется формулой верной и точной.

«По плодам узнаете дерево», — сказал Иисус. Воин следует этому правилу и не ошибается никогда.

Воин света знает, сколь важно наитие.

В разгар боя, в горячке сражения, когда нет времени размышлять о том, как отразить удар противника, воин действует по наитию и повинуется словам своего ангела-хранителя.

В пору мира он разгадывает смысл знамений, посланных ему Богом.

«Сумасшедший», — говорят о нем одни.

«Строит воздушные замки», — говорят другие.

«Как может он доверять тому, что лишено логики?» — недоумевают третьи.

Но воин знает: наитие — это азбука, с помощью которой можно прочесть предначертанное Богом, и потому продолжает прислушиваться к голосу ветра и беседовать со звездами.

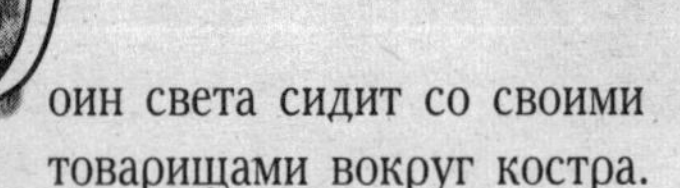

Воин света сидит со своими товарищами вокруг костра.

Они рассказывают об одержанных ими победах и радушно принимают приближающихся к костру чужестранцев, ибо каждый из них гордится своей жизнью и участием в Праведном Бою. Воин с воодушевлением говорит о своем пути, повествует о том, как принимал он тот или иной вызов, как отвечал на него, какое решение созрело в нем в ту или иную трудную минуту. И когда он рассказывает об этом, слова его проникнуты романтизмом и дышат страстью.

Иногда позволяет он себе чуточку преувеличения. Он помнит, что и предки его время от времени допускали такое.

Потому и он не видит в этом большого греха. Но он никогда не спутает гордость с тщеславием и никогда сам не поверит собственному вымыслу.

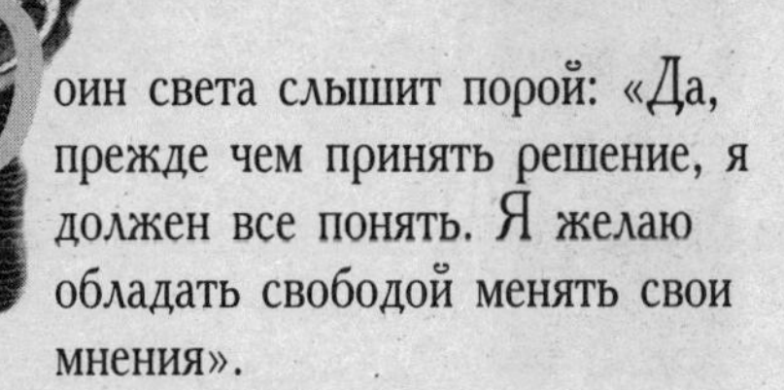

Воин света слышит порой: «Да, прежде чем принять решение, я должен все понять. Я желаю обладать свободой менять свои мнения».

Воин с недоумением воспринимает такие слова. И он тоже может обладать такой свободой, но это не помешает ему выполнять некие обязательства, хотя сам он не вполне отчетливо сознает, почему он так поступает.

Воин света принимает решения. Душа его вольна, как облака на небе, но сам он скован своей мечтой. На своем пути, избранном по доброй воле, случается ему пробуждаться в час, который ему неприятен, приходится говорить с людьми, которые ни на йоту не обогатят его знание. Порой он вынужден и идти на жертвы.

«Ты — не свободен», — говорят ему друзья.

Воин свободен. Просто он знает, что в печи с открытой дверцей хлеба не испечешь.

3-462

Всегда помни: чем бы ты ни был занят, что бы ни делал, следует дождаться средств для достижения цели и возможности выполнить стоящую перед тобой задачу. «Отвергает плод лишь тот, кто, будучи должным образом снаряжен, не испытывает ни малейшего желания воспользоваться результатами победы и в сражении погружен в собственные думы.

Можно отвергнуть плод, но этот отказ не означает безразличия к результату».

Воин света с почтением внимает этим наставлениям Ганди. Он не дает сбить себя с толку тем, кто, будучи не в силах достичь какого-либо результата, громогласно заявляют о своем отказе от него.

Воин света внимателен к мелочам, ибо знает — они способны нарушить привычный ход событий.

Крохотная заноза может заставить путника прервать путь. Невидимая невооруженным глазом клетка — разрушить здоровую плоть. Воспоминание о мгновении страха, пережитом в прошлом, приведет к тому, что страх будет возвращаться ежеутренне. Промедление, длящееся лишь долю секунды, откроет грудь воина для разящего удара противника.

Воин никогда не пренебрегает мелочами. Порой ему приходится из-за этого быть суровым с самим собой, но действует он именно таким образом.

«Дьявол обитает в мелочах» — гласит старинная поговорка.

Воин света не всегда может сохранить веру.

Бывают минуты, когда он абсолютно ни во что не верит и вопрошает свое сердце: «Неужели нужны такие усилия?»

Но сердце молчит. И воин должен решать за себя сам.

Тогда он принимается искать пример и образец. И вспоминает, что Иисус проходил через нечто подобное — для того, чтобы во всей полноте принять уготованную смертному человеку участь.

«Да минует меня чаша сия», — сказал Иисус. И ему случалось терять мужество и бодрость духа, но он не останавливался.

Воин света, даже на какое-то время оставшись без веры, продолжает идти вперед и в конце концов обретает утерянное.

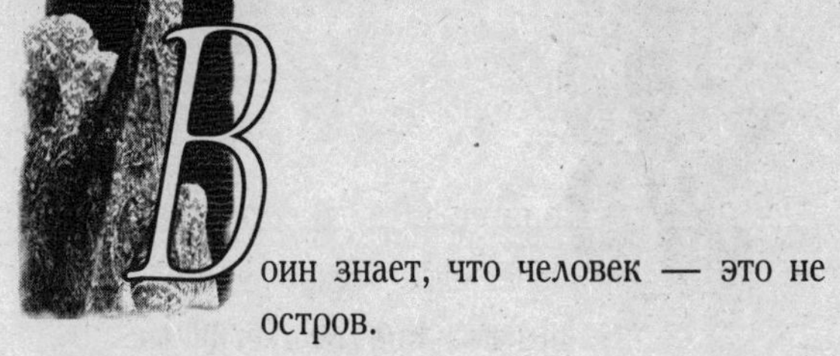

Воин знает, что человек — это не остров.

Он не может бороться в одиночку; каков бы ни был его замысел, он зависит от других людей. Он нуждается в том, чтобы обсудить с кем-то свои намерения, чтобы попросить у кого-то помощи и содействия и — в минуты отдыха, присев у костра, — рассказать кому-то о былых битвах.

Но воин не допустит, чтобы люди принимали эту потребность за неуверенность в себе. Деяния его — очевидны, но замыслы его покрыты тайной.

Воин света пляшет вместе со своими товарищами, но ни на кого не перекладывает ответственность за совершенные им шаги.

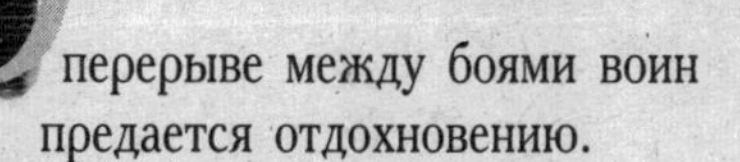

В перерыве между боями воин предается отдохновению.

Часто случается так, что по целым дням, исполняя требование своего сердца, он пребывает в бездействии, но дух его бодрствует. Воин не совершает в такие дни смертного греха лени, ибо знает, что это может завести его в истомную одурь воскресных вечеров, когда время проходит — и больше ничего.

Воин называет это «кладбищенским покоем».
Он не забывает строк Апокалипсиса: «Проклинаю тебя, ибо ты ни холоден, ни горяч. О, если бы ты был холоден или горяч! Но как ты тепл, а не горяч и не холоден, то извергну тебя из уст Моих».

Воин предается отдохновению и веселью. Но он всегда настороже.

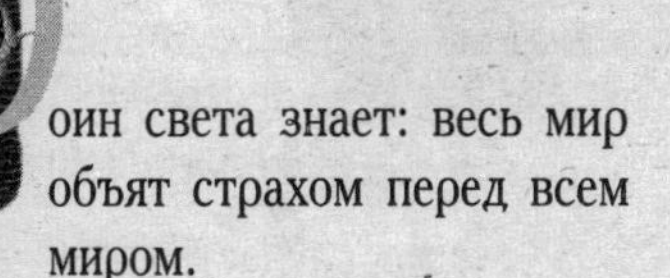

Воин света знает: весь мир объят страхом перед всем миром.

Этот страх обычно проявляется двояко: либо через воинственный напор, либо через покорное подчинение. Это две стороны одной медали.

И потому, оказавшись перед тем, кто внушает ему ужас, воин помнит: этот человек обуян такой же неуверенностью в себе. Он преодолевал схожие препятствия, он сталкивался с теми же затруднениями.

Но почему же тогда он оказывается сильнее? Потому что свой страх он использует как мотор, а не как тормоз.

И воин, учась у своего противника, ведет себя теперь подобно ему.

Для воина света невозможной любви не бывает.

Его не смутить ни отчужденным молчанием, ни безразличием, ни пренебрежением. Он видит, что под ледяной личиной, которой облекают себя люди, скрывается пылкое сердце.

И потому он рискует сильней, чем другие люди. Непрестанно и беспрерывно ищет он любви — пусть даже в поисках этих придется ему иногда слышать слово «нет», уходить ни с чем, чувствовать себя отверженным и душой, и телом.

Воин не дает запугать себя, когда ищет ту, в ком нуждается. Без любви он — ничто.

Воин света умеет узнавать безмолвие, предшествующее решающей битве.

И кажется, будто безмолвие это говорит: «Все замерло и остановилось. Не лучше ли забыть о битве и развлечься?» Неопытные бойцы в такие минуты выпускают из рук оружие и жалуются, что им тоскливо.

Воин чутко вслушивается в тишину, зная, что где-то что-то вот-вот произойдет. Он знает, что разрушительные землетрясения приходят без предупреждения. Ему случалось бродить по ночному лесу, и он помнит эту верную примету: если не слышно зверей и птиц, значит, опасность близка.

И покуда другие ведут беседу, воин до совершенства доводит свое искусство владеть мечом и не спускает глаз с горизонта.

Воин света — доверчив.

Он верит в чудеса — и чудеса происходят. Он убежден, что мыслью способен преобразовать жизнь, — и жизнь постепенно становится иной. Он не сомневается в том, что встретит любовь, — и вот появляется любовь.

Время от времени он испытывает горькое разочарование. Порой ему приходится страдать.

«До чего же он наивен», — нередко слышит он за спиной.

Но воин знает — он остается в выигрыше. На каждое поражение приходится две победы.

Это знает каждый, наделенный даром верить.

Воин света понял, что лучше всего — следовать за светом.

Ему уже случалось лгать и предавать, сворачивать со своей стези, бродить впотьмах. И все сходило — как ни в чем не бывало.

Но вот внезапно впереди разверзается пропасть; можно сделать тысячу твердых и уверенных шагов, а тысяча первый шаг обрывается у самого края бездны, когда воин остановится за миг до гибели.

И, приняв это решение, слышит он такие слова: «Ты всегда поступал неправильно. Ты слишком стар, поздно тебе меняться. Ты — нехорош. Ты этого не заслуживаешь».

И он глядит в небеса. И некий голос произносит: «Милый мой, не ты один — весь мир совершал ошибки. Ты прощен, но я не могу навязывать тебе это прощение. Тебе решать».

Истинный воин света приемлет прощение.

Воин света всегда стремится к совершенству.

За каждым ударом его меча — столетия мудрости и размышлений. Каждый удар должен заключать в себе силу и проворство всех воинов прошлого, которые и сейчас еще продолжают благословлять битву. Каждое его движение чтит те движения, которые предшествующие поколения пытались передать нынешним через Традицию.

Воин совершенствует красоту своих ударов.

Воин света достоин доверия.

Порой он совершает опрометчивые шаги; иногда считает себя гораздо значительней, чем есть на самом деле. Но он не лжет.

Сидя у костра в кругу товарищей и подруг, он ведет с ними беседы. Он знает, что его слова будут сохранены в памяти Вселенной как некое свидетельство того, чему посвящены его думы.

«Зачем я так много говорю, если иногда не в состоянии претворить слова в деяния?» — размышляет воин.

«Когда ты прилюдно и открыто отстаиваешь свои взгляды, ты поневоле вынужден жить в согласии с ними», — отвечает ему сердце.

И, поскольку слова его — неизменное и верное отражение его мыслей, воин в конце концов превращается в то, о чем он говорит.

Воин знает, что время от времени битва прерывается.

И тогда он не предпринимает усилий к тому, чтобы непременно возобновить ее; он знает, что следует запастись терпением и дождаться, пока не прибудет сил. Когда на поле битвы наступает тишина, воин слышит удары своего сердца.

Он понимает, что пребывает в напряжении. Он сознает, что испытывает страх.

Воин добивается равновесия в своей жизни — нужно, чтобы клинок был отточен, сердце — удовлетворено, а вера воспламеняла душу. Он знает, что это — не менее важно, чем действие.

Всегда чего-нибудь недостает. И те минуты, когда время останавливает свой бег, воин использует для того, чтобы восполнить недостачу и получше снарядиться для будущей битвы.

Воин знает, что ангел и демон оспаривают его руку, держащую меч.

«Ты ослабеешь, ты не сумеешь узнать нужный миг. Ты боишься», — говорит демон. «Ты ослабеешь, ты не сумеешь узнать нужный миг. Ты боишься», — говорит ангел.

И воин изумлен — оба говорят одно и то же.

«Давай я помогу тебе», — продолжает демон. И ангел произносит: «Я тебе помогаю».

И вот тогда воин постигает отличие. Слова одинаковы, да только разные уста произносят их.

И тогда воин выбирает руку своего ангела.

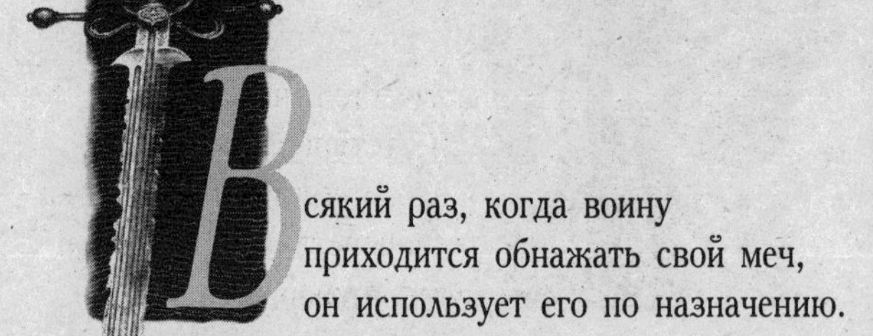

Всякий раз, когда воину приходится обнажать свой меч, он использует его по назначению.

Мечом он может проложить путь, оказать кому-нибудь помощь, отвести грозящую опасность — но меч прихотлив и не любит, когда клинок его обнажают без причины.

И потому воин никогда не прибегает к угрозам. Он может нападать, может защищаться, может убежать — и то, и другое, и третье суть части боя. А загодя бахвалиться ударом — значит впустую растрачивать силу его, и к бою это не имеет отношения.

Воин света неизменно внимателен к движениям своего меча. Но ни на миг не забывает он, что и меч внимательно следит за его движениями.

Ибо меч создан не для того, чтобы сопровождать речи.

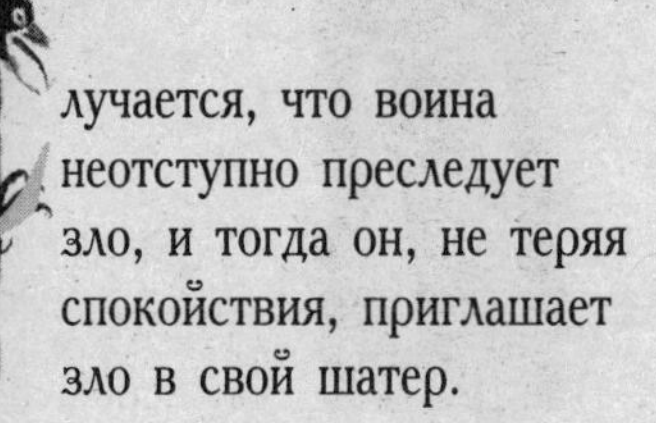

Случается, что воина неотступно преследует зло, и тогда он, не теряя спокойствия, приглашает зло в свой шатер.

И спрашивает он зло: «Ты хочешь причинить пагубу мне или — с моей помощью — другим?»

Зло притворяется, будто не слышит. Говорит, что ему ведомы самые потаенные закоулки души воина. Бередит еще не до конца зарубцевавшиеся раны и подстрекает к возмездию. Напоминает, что знает хитроумные козни и незаметно действующие яды, с помощью которых воин может уничтожить своих врагов.

Воин света слушает. Когда зло замолкает, он побуждает его возобновить свои речи, просит в подробностях рассказать обо всех его замыслах.

Выслушав все до конца, поднимается и уходит прочь. А зло столько наговорило, так утомилось и опустошено, что уже не в силах следовать за ним.

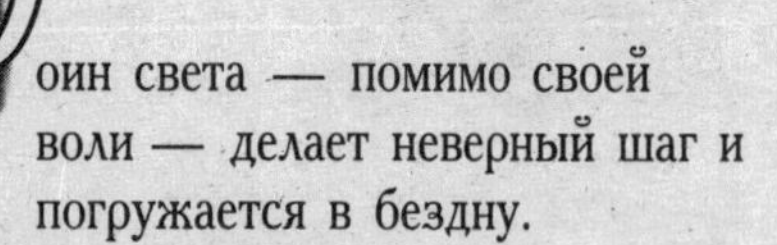

Воин света — помимо своей воли — делает неверный шаг и погружается в бездну.

Одиночество терзает его, призраки пугают его. Когда он искал Праведный Бой, то не предполагал, что подобное случится с ним. Однако же случилось. Окутанный тьмой, взывает он к своему наставнику.

«Учитель, я погружаюсь в пучину, — говорит он. — Воды так темны, так глубоки».

«Помни одно, — ответствует тот. — Захлебывается и тонет не тот, кто погрузился, а тот, кто остался под водой».

И воин напрягает все свои силы, чтобы выбраться из положения, в котором он оказался.

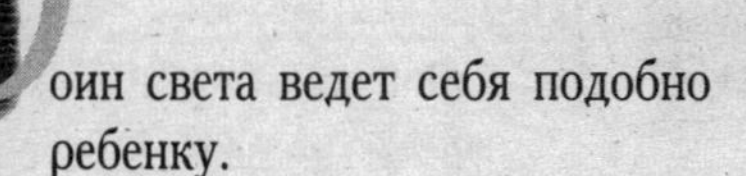

Воин света ведет себя подобно ребенку.

Он ошеломляет людей, которые позабыли, что ребенок должен шалить, играть, иногда немного дерзить, задавать наивные вопросы, говорить глупости, в которые он и сам не верит.

И в ужасе люди восклицают: «Неужели это и есть духовный путь? Но ведь этот человек — незрелый!»

Воин гордится такими отзывами. И через свое невинное веселье, не теряя при этом из виду свое предназначение, продолжает поддерживать связь с Богом.

Корень слова «ответственность» объясняет его смысл — способность отвечать, отзываться, действовать.

Ответственный воин был способен наблюдать и упражняться. Но, помимо этого, был он способен и на «безответственность» — покорно повиновался ходу событий, не отвечая на их вызов, не противодействуя им.

Однако он усваивал уроки — слушал советы и смиренно принимал помощь.

Воина можно назвать ответственным не тогда, когда он взваливает на свои плечи всю тяжесть мира; ответственный воин — это тот, кто научился отвечать на сиюминутный вызов.

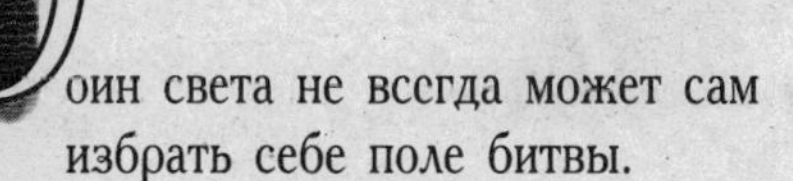

Воин света не вссгда может сам избрать себе поле битвы.

Порой его захватывают врасплох, и он оказывается в самом преддверии боя, которого не желал, но в таких случаях не пытается бежать, ибо знает — такие бои будут следовать за ним повсюду.

И вот, когда схватка уже почти неизбежна, воин вступает со своим противником в беседу. Не выказывая ни страха, ни робости, пытается он узнать причину, по которой тот пожелал сразиться с ним; что заставило того покинуть родную деревню и искать с ним встречи на поединке. Не обнажая меча, воин убеждает противника — это не его бой.

Воин света выслушает все, что захочет высказать ему его противник. Он вступит с ним в противоборство, только если это будет необходимо.

Воин света перед принятием важных решений испытывает сильный страх.

«Эта задача тебе не по силам», — говорит ему один друг. «Иди вперед, не теряй мужества», — говорит второй. И от таких речей сомнения его лишь усиливаются.

И вот, проведя несколько дней в тоске и смятении, он приходит в себя в своем шатре, в том его углу, где привык размышлять и молиться. Он всматривается в свое будущее. Он видит людей, которых его отношение к ним вознесет или низвергнет. Он не хочет никому причинять ненужных страданий, но не хочет и оставлять избранную им стезю.

И тогда воин ждет, покуда решение не созреет само.

Если будет нужно сказать «да», он отважно произнесет это слово. Если нужно будет сказать «нет» — со страхом.

Воин света целиком принимает Свою Стезю.

«Какая изумительная вера!» — говорят его товарищи.

От этих слов воин на несколько минут преисполняется гордости, но тотчас же его обуревает стыд, ибо той веры, которую он проявляет наружно, нет в его душе.

В такой миг его ангел шепчет ему: «Ты — всего лишь орудие света. Тебе нечем тщеславиться, но нет и причины чувствовать себя виноватым. У тебя есть основания лишь ликовать».

И воин света, сознавая себя всего лишь орудием, обретает спокойствие и уверенность.

Возможно, Гитлер и проиграл войну на полях сражений — но кое в чем он вышел победителем, — говорит М. Хальтер. — Ибо человек XX столетия создал концентрационный лагерь, возродил пытки и внушил себе подобным, что можно закрывать глаза на беды окружающих».

Быть может, он прав: существуют беспризорные и брошенные дети, кровавые расправы над мирными жителями, одинокие старики, алкоголики в сточных канавах, безумцы у власти.

А быть может, и совсем не прав, ибо существуют воины света.

А воины света никогда не примут неприемлемое.

Воин света всегда помнит старинную поговорку: «Только пустая бочка гремит».

Часто случаются несправедливости. Люди попадают в затруднительные ситуации, которых не заслуживают, — обычно это происходит, когда они не могут защититься. Бывает, беда стучится и в дверь воина.

Когда такое происходит, он замыкается в молчании. Не тратит сил на слова, ибо они ничем не могут помочь. Гораздо лучше сохранить силы на сопротивление, запастись терпением и помнить при этом, что Некто глядит на тебя. Некто видит, что ты страдаешь несправедливо, и не собирается мириться с этим.

Некто дает воину то, в чем он нуждается больше всего, — время. Рано или поздно все снова обернется в его пользу.

Воин света мудр и потому не разглагольствует о своих поражениях.

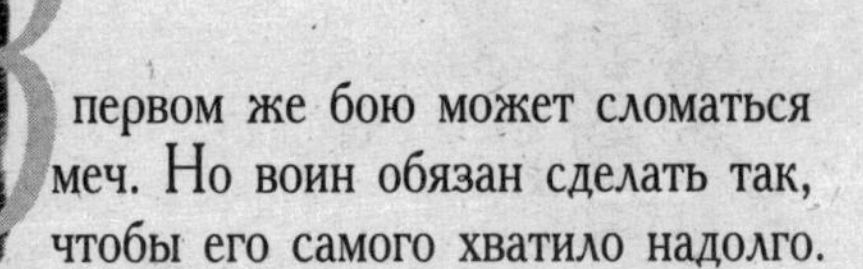

В первом же бою может сломаться меч. Но воин обязан сделать так, чтобы его самого хватило надолго.

По этой причине он не обманывается насчет собственных сил и дарований и не позволяет обстоятельствам застичь его врасплох. Все на свете оценивает он по достоинству.

Часто случается так, что перед лицом тяжких испытаний слышит он, как дьявол нашептывает ему на ухо: «Не заботься об этом, это — сущая безделица».

А бывает и иначе. Когда ничего из ряда вон выходящего не происходит, дьявол твердит воину: «Собери все свои силы, всю свою энергию направь на то, чтобы разрешить эту ситуацию».

Воин света не слушает того, что внушает ему дьявол: он один — хозяин своему мечу.

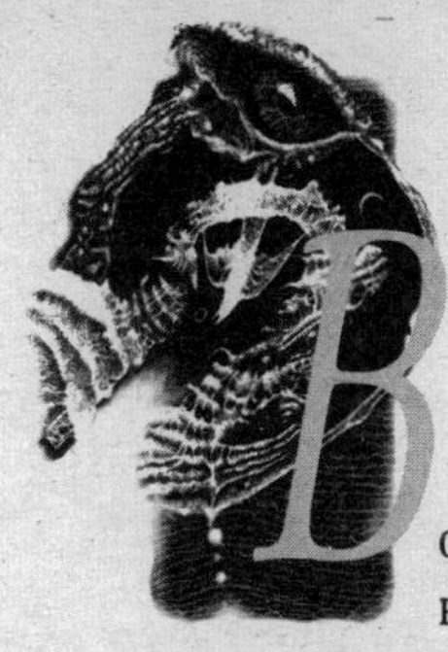

Воин света всегда пребывает настороже.

Он не просит у других позволения взмахнуть своим мечом, а просто берет его в руки. Схожим образом не станет он терять время на то, чтобы объяснить свои действия, — он верен тому, что предначертано Богом, и отвечает за то, что делает.

Он смотрит вокруг себя и узнает своих друзей. Он оборачивается назад и определяет своих противников. Он беспощаден к предательству, но никогда не мстит — он лишь устраняет изменников из своей жизни, не борясь с ними дольше, чем это необходимо.

Воин света не прилагает стараний к тому, чтобы *казаться*.

Он — есть.

Воин не станет якшаться с теми, кто желает ему зла. Схожим образом нельзя увидеть его и в обществе тех, кто желал бы «утешить» его.

Избегает он и людей, которые неизменно оказываются рядом, лишь когда он терпит поражение, — эти лжедрузья хотят насладиться его слабостью. Они приносят только дурные вести. Они под видом дружеского участия неустанно стремятся подорвать его уверенность в себе.

Увидев, что он ранен, они заливаются слезами сочувствия, но в глубине души очень довольны, ибо воин проиграл бой. Им не дано понять, что это — часть сражения.

Истинные друзья всегда рядом с воином — и в трудные минуты, и в счастливые.

оин света, начиная борьбу, заявляет: «У меня есть мечты».

По прошествии нескольких лет он сознает, что может прийти туда, куда хочет, и будет вознагражден.

И тогда он испытывает печаль. Ибо ему ведомы и несчастья других людей, и их одиночество, неудачи и разочарования, преследующие большую часть человечества, — и ему кажется, что он недостоин того, что должен будет обрести.

«Отдай все», — шепчет ему его ангел. И воин, преклонив колени, предлагает Богу все свои завоевания.

Благодаря этому воин перестает задавать глупые вопросы и справляется с чувством вины.

В руках у воина света — меч.

Воин — и никто другой — решает, что он будет делать и чего не сделает ни при каких обстоятельствах.

Бывают такие минуты, когда жизнь устраивает ему испытание, заставляя расстаться с тем, что он всегда любил. В такие минуты воин погружается в размышления. Он пытается установить, что это такое — исполнение Божьей воли или просто себялюбие. В первом случае — даже если на пути ему приходится расставаться — он повинуется без жалоб и ропота.

Если же это расставание порождено чьим-то злым умыслом, воин даст ему беспощадный отпор.

Воин наделен и даром наносить удар, и даром прощения. То и другое он применяет одинаково искусно.

оин света не попадает в ловушку слова «свобода».

Если народ его угнетен, свобода становится насущной необходимостью. Воин, взяв меч и щит, борется за нее не на жизнь, а на смерть. Перед лицом угнетения свобода — такое простое понятие; она противопоставлена рабству.

Но порой воин слышит от пожилых людей: «Вот перестану работать, стану свободней», а проходит год, и эти же люди жалуются: «Жизнь однообразна и томительно уныла». В этом случае «свобода» значит совсем другое — отсутствие чувств.

Воин света не считает себя свободным. Он волен в своих поступках, но он раб своей мечты.

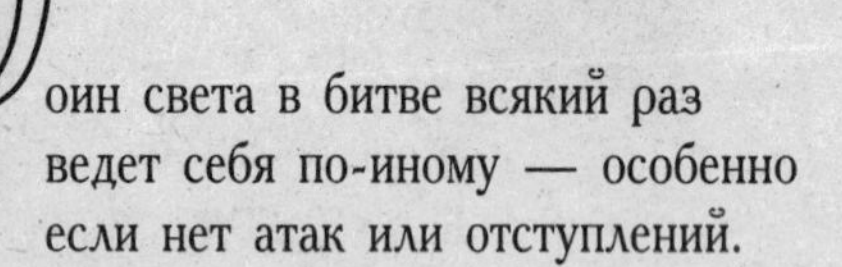

Воин света в битве всякий раз ведет себя по-иному — особенно если нет атак или отступлений.

Если битва не ведет к победе или не завершается поражением, воин понимает: нужно обсудить с противником условия перемирия. Оба они уже в достаточной мере показали свое искусство владеть мечом, и теперь им нужно понять друг друга.

Переговоры свидетельствуют о достоинстве, а не о малодушии. Это — равновесие сил и смена стратегии.

Разработав планы заключения мира, воины возвращаются домой. Им ничего никому не надо доказывать — они вели Праведный Бой, они укрепляли веру. Каждый из них уступил немного, овладев тем самым искусством переговоров.

Друзья спрашивают воина света, откуда черпает он свою энергию. «От незримого противника», — отвечает он.

Друзья спрашивают тогда, кто это.

«Тот, кого мы не можем поразить», — отвечает воин.

Им может быть сверстник, который когда-то в детской драке одолел воина; девочка, которая в одиннадцать лет сказала, что он ей не нравится, учитель, который назвал его тупицей. Утомясь и обессилев, воин вспоминает, что этот незримый противник еще не видел его отваги.

Нет, он не помышляет о мести, ибо незримый противник уже давно перестал быть частью его жизни. Он думает только о том, как бы достичь совершенства — чтобы молва о его деяниях облетела весь свет и достигла ушей человека, в далеком прошлом причинившего ему боль.

Эта вчерашняя боль — источник силы для воина света.

4-462

В жизни воина света всегда есть *вторая попытка.*

Подобно всем прочим людям, он не при рождении получил свое искусство владеть мечом. Много раз он ошибался, прежде чем нашел Свою Стезю.

Нет такого воина, который смог бы, сидя у костра, сказать товарищам: «Я всегда поступал правильно». Тот, кто утверждает подобное, либо говорит неправду, либо еще не научился познавать самого себя. Ибо истинному воину света в прошлом случалось поступать несправедливо.

Но потом, свершая свой путь, он понимает, что судьба непременно вновь сведет его с людьми, в отношении которых он вел себя неправильно.

Так дается ему возможность исправить зло, причиненное им когда-то. И без колебаний воин использует эту возможность.

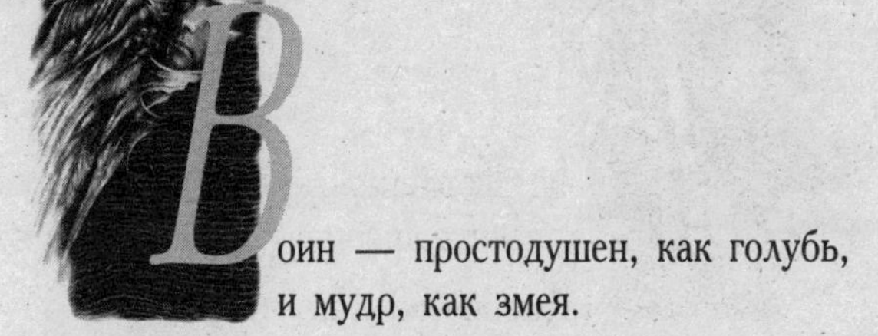

Воин — простодушен, как голубь, и мудр, как змея.

Встречаясь и беседуя с другими, он не осуждает их поведение, ибо знает: тьма улавливает зло, исходящее из его души, в невидимые сети. Они ухватывают все, что незримо витает в воздухе, превращая это в зависть и ненависть, которые принимаются пожирать душу человеческую.

И потому все сказанное в отношении кого бы то ни было непременно достигает ушей тех, кто враждует с этим человеком, с добавлением отравленного заряда злобы.

И потому, когда воин отзывается о своем брате, он представляет, что тот, стоя рядом, слышит каждое его слово.

В «Настольной книге средневекового рыцаря» сказано:

«Духовная энергия Пути с помощью справедливости и терпения готовит твой дух.

Таков Путь Рыцаря: он и легок, и одновременно тернист, ибо заставляет отбросить в сторону все ненужное, включая и сомнительную дружбу. И потому поначалу такие сомнения обуревают всякого, кто вступает на него.

Вот первая заповедь Рыцарства: вычеркни из книги твоей жизни то, что заносил в нее до сей поры — беспокойство, неуверенность, ложь. А на место вычеркнутого впиши лишь одно слово — «отвага». Отправляясь в путь с этим словом, следуя этим путем с верой в Бога, ты достигнешь цели, к которой стремишься».

В час приближения битвы воин света старается быть готовым к любой неожиданности.

Он обдумывает каждый стратегический ход и спрашивает себя: «А что бы я предпринял, если бы должен был сражаться с самим собой?» И таким образом определяет свои слабые места.

В этот миг появляется противник, неся с собой целый ворох обещаний, договоров, предложений, которые вселяют искушение, вариантов, которые могут устроить обе стороны.

Воин тщательно разбирает каждое предложение, он тоже стремится достичь соглашения, но не теряя при этом собственного достоинства. Если он уклонится от боя, то не потому, что его улестили слова противника, а потому, что счел это наилучшей стратегией.

Воин света не принимает даров от врага.

Итак, повторяю:

Воинов света можно узнать по взгляду.

Они живут в нашем мире, они составляют часть нашего мира, в наш мир были они присланы, и пришли сюда без посоха и сандалий. Нередко они испытывают страх. Не всегда они поступают правильно.

Воины света порой терзаются из-за безделицы, огорчаются по пустякам, считают, что не способны расти. Воины света время от времени думают, что недостойны ни чуда, ни благодати.

Воины света часто спрашивают себя и друг друга, что они делают здесь, и еще чаще приходят к выводу, что жизнь их лишена смысла.

Именно поэтому они — воины света. Потому, что совершают ошибки. Потому, что задают вопросы. Потому, что неустанно отыскивают смысл. Ищут — и в конечном счете находят.

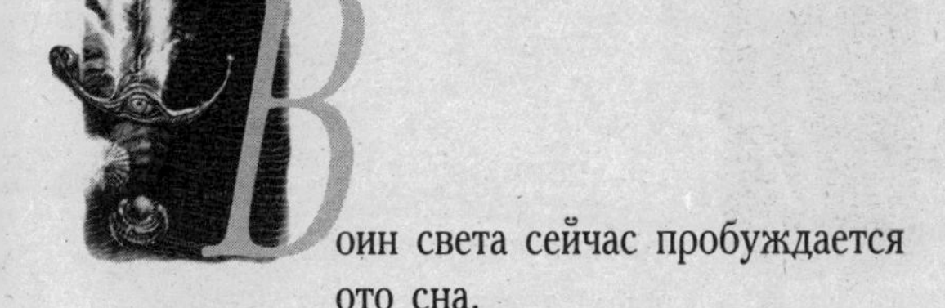

Воин света сейчас пробуждается ото сна.

«Мне не совладать с этим светом, который заставляет меня расти», — думает он. А свет между тем не исчезает.

«Потребуются изменения, а у меня нет ни малейшего желания затевать их», — думает он.

Но свет не меркнет и не гаснет — ибо слово «желание» полно подспудных смыслов.

И тогда глаза и сердце воина понемногу начинают привыкать к свету. Он уже не пугает воина, и тот принимает Свою Стезю, хотя это и означает, что ему придется рисковать.

Воин долгое время пребывал во сне. Вполне естественно, что к яви он возвращается постепенно.

Великий боец терпит и сносит оскорбления; он знает тяжесть своего кулака и силу своего удара. Оказавшись перед противником, не успевшим подготовиться к бою, он смотрит ему в глаза — в самую их глубину — и побеждает, не нуждаясь даже в том, чтобы использовать свою физическую силу.

Чем больше воин учится у своего духовного наставника, тем ярче разгорается в его глазах свет веры, и ему ничего никому не нужно доказывать. Никакого значения не имеют для него воинственные доводы противника, твердящего, что Бог — это предрассудок, что чудеса — не более чем фокусы, что верить в ангелов — значит бежать от действительности.

Подобно бойцу, воин света сознает, сколь необорима его мощь, и никогда не вступает в схватку с тем, кто не достоин подобной чести.

Воин света всегда помнит пять правил схватки, которые три тысячи лет назад сформулировал Чжуан-цзы.

Вера: прежде чем вступить в битву, нужно верить в то, ради чего ты это делаешь.

Соратник: учись выбирать себе союзников и сражаться плечом к плечу с ними, ибо в одиночку никто не может выиграть войну.

Время: истинный воин помнит, что борьба, происходящая зимой, отлична от той, что происходит летом. Вступая в бой, он всегда выбирает для этого наиболее благоприятный момент.

Пространство: нельзя сражаться в горах так же, как ты сражаешься на равнине. Оцени все, что находится вокруг тебя, и избери наилучший способ борьбы.

Стратегия: лучший воин тот, кто умеет предвидеть и подготовить ход сражения.

Воин редко может определить победителя сразу по окончании сражения.

Движение борьбы порождает вокруг себя огромную энергию, и вот наступает момент, когда одинаково возможны и победа, и поражение. Лишь время скажет, кто одолел и кто проиграл, но воин знает, что с этой минуты он уже ничего больше не сможет сделать: судьба сражения — в руках Бога.

В такие минуты воин не тревожится за исход битвы: это не заботит его. Он внимательно прислушивается к своему сердцу, он спрашивает его: «Это был Праведный Бой? Я сражался как должно?» Если сердце отвечает ему утвердительно, он предается отдохновению. Если же ответ отрицательный, он берется за меч и вновь начинает упражняться.

Воин света стремится к тому, чтобы в нем не угасла искра Божья.

Судьба определила ему находиться рядом с другими воинами, но порой ему нужно в одиночку поупражняться в искусстве владеть мечом. И потому, отделясь от товарищей, он становится подобен звезде.

Он озаряет предназначенную ему часть Вселенной и старается, чтобы те, кто смотрит на небо, видели иные галактики и миры.

Его упорство и постоянство будут в скором времени вознаграждены. Один за другим к нему приближаются другие воины, и все вместе они образуют созвездия со своими символами и своими тайнами.

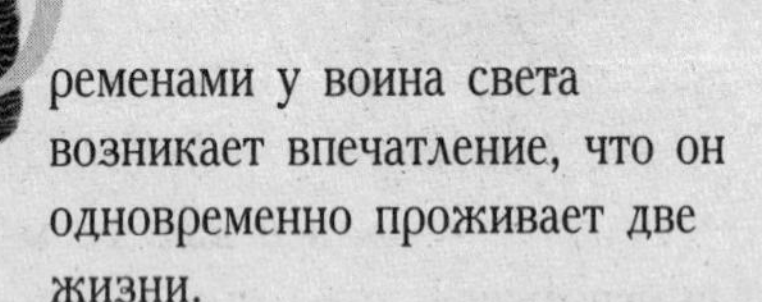

Временами у воина света возникает впечатление, что он одновременно проживает две жизни.

В одной из них он принужден делать то, к чему у него не лежит душа, сражаться за идеи, в которые не верит. Но существует и другая жизнь, и она открывается ему в мечтаниях, в чтении любимых книг, во встречах с теми, кто мыслит так же, как он.

Воин не препятствует тому, чтобы две его жизни сближались. «Есть некий мост, который соединяет то, что я делаю, с тем, что мне нравится делать», — думает он. И постепенно мечты его овладевают повседневностью, и вот уже они возобладали над ней, и тогда он понимает, что готов к тому, чего всегда желал.

И теперь нужно лишь немного дерзости — и две жизни сплавятся воедино.

Запиши еще раз то, что я уже говорила тебе:

Воину света нужно время для самого себя. Он использует это время для отдыха, для созерцания, для общения с Душой Мира. Даже в разгар схватки воину удается медитировать.

Когда это происходит, воин садится наземь, отрешившись от всего и не препятствуя тому, чтобы события вокруг него шли своим чередом. Как зритель, он взирает на мир и не стремится ничего прибавить к нему или отнять у него. Он хочет лишь покорно и безропотно предаться движению жизни.

Постепенно все то, что казалось сложным, становится простым. И тогда душа воина исполняется радости.

Воин света осторожен с теми, кто думает, будто знает дорогу.

Они всегда так уверены в своей способности принимать решения, что не понимают иронии, с которой судьба относится к жизни каждого из них. И когда неизбежное стучится в дверь — возмущаются.

У воина света есть мечты. Они ведут его вперед. Но никогда он не совершит ошибку, рассудив, что дорога легка, а дверь — широка. Он знает, что Вселенная действует так же, как действует алхимия: «*Solve et coagula*», говорят мудрецы. «В соответствии с тем положением, в которое ты попал, сосредоточь или распыли свою энергию».

Есть время действовать, и есть время принимать обстоятельства такими, каковы они есть. Воин знает отличие.

Научившись владеть мечом, воин света приходит к выводу, что ему требуется полное вооружение и, значит, без доспехов не обойтись.

Он отправляется на поиски, и торговцы предлагают ему свой товар.

«Возьми кирасу одиночества», — говорит один.

«Прикройся щитом цинизма», — перебивает другой.

«Лучшие доспехи — ни во что не ввязываться», — утверждает третий.

Но воин остается глух к этим речам. Бестрепетно и невозмутимо следует он к тому месту, которое священно для него, и облекается в неразрушимый покров веры.

Вера охранит от любых ударов. Вера превратит отраву в чистейшую влагу.

«Всю жизнь я верил тому, что говорили мне люди, и неизменно подстерегало меня разочарование», — часто повторяют его товарищи.

Доверять людям — важно, и воин света не страшится разочарований — ибо знает мощь своего меча и силу своей любви.

Тем не менее он знает предел своих возможностей и понимает, что принимать Божьи знамения и сознавать, что ангелы устами ближних наших руководят нами, — это одно. И совсем другое — неспособность к самостоятельным решениям и вечное стремление сделать так, чтобы другие сказали, как следует нам поступить в том или ином случае.

Воин света доверяет другим, ибо в первую очередь доверяет самому себе.

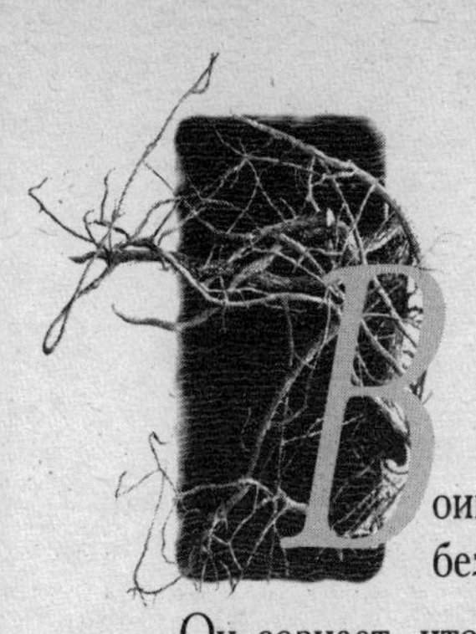

Воин света глядит на жизнь без боязни и без злобы.

Он сознает, что перед ним — чудо, разгадку которого в один прекрасный день он отыщет. А потом, повернувшись вполоборота, говорит сам себе: «Но как похожа эта жизнь на безумие».

И он прав. Вверившись чуду повседневности, замечает воин, что не всегда может предвидеть последствия своих деяний. И порою действует, сам не сознавая, что действует, и обретает спасение, не понимая, что спасен, и страдает, теряясь в догадках о причинах своей печали.

Да, жизнь — это безумие. Но великая мудрость воина заключается в том, чтобы верно выбрать себе безумие.

Воин света созерцает две колонны, стоящие по обе стороны от двери, которую он намеревается открыть.

Одна зовется Страхом, другая носит имя Желания. Воин смотрит на первую и читает выбитые на ней слова: «*Ты вступишь в пределы неведомого и опасного мира, где ничто из того, что ты открывал доселе, не пригодится тебе и не поможет*».

Воин переводит взгляд на вторую и читает на ней: «*Ты покидаешь пределы познанного тобою мира, где остается все, что ты всегда любил и за что всегда сражался*».

Воин улыбается — ибо ничто на свете не может испугать его и ничто не в силах остановить. С уверенностью человека, знающего, чего он хочет, воин открывает дверь.

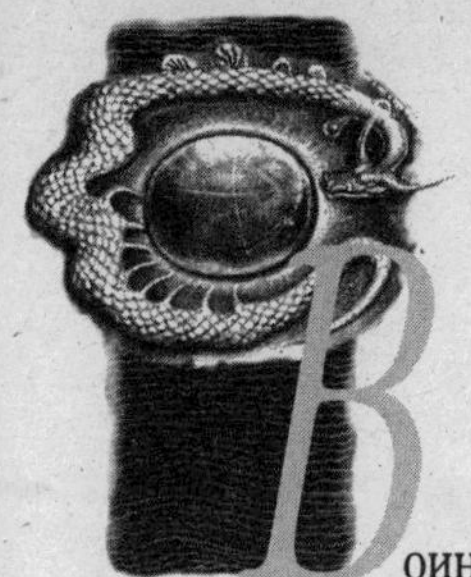

Воин света применяет очень полезное упражнение для внутреннего роста — он старается осмысленно и внимательно совершать все то, что мы делаем бессознательно, — дышать, моргать, замечать окружающее.

Он прибегает к этому в минуты смятения и растерянности. И таким способом освобождается от напряжения, позволяя своей интуиции работать более свободно — его страхи и желания не вмешиваются в эту работу.

И вот в конце концов решаются вопросы, казавшиеся неразрешимыми, и страдания, которые он считал непереносимыми, исчезают без следа, причем он не прилагает к этому никаких усилий.

Попадая в трудное положение, воин неизменно использует этот метод.

Воин света слышит порой такие фразы: «Я не желаю обсуждать то-то и то-то, ибо люди завистливы».

Он смеется, слыша такое. Зависть не в силах причинить никакого вреда — если только человек не принимает ее безропотно. Зависть — часть жизни, и каждый должен уметь совладать с нею.

Тем не менее воин редко говорит о своих планах, и потому люди иногда полагают, будто он страшится зависти.

Но воин знает — всякий раз, когда он говорит о своей мечте, приходится тратить некую часть ее энергии на то, чтобы облечь мечту в слова. И, если говорить часто и пространно, возникает опасность истратить всю энергию без остатка, так что на исполнение мечты ничего не останется.

Воин света знает, какой мощью обладают слова.

Воин света знает, как высока цена упорства и отваги.

Часто случается так, что во время битвы он получает удары, которых не ждал. И понимает, что, покуда идет война, противник победит в нескольких сражениях. Когда подобное происходит, он оплакивает свои скорби, а потом предается отдохновению, чтобы хоть немного восстановить энергию. Но тотчас вслед за тем он вновь принимается сражаться за свои мечты.

Ибо воин знает — чем дольше пробудет он в стороне от битвы, тем больше будет возможность почувствовать себя слабым, робким, боязливым. Если всадник, сброшенный с коня, не вскочит в седло в следующую же секунду, ему уже никогда не хватит на это храбрости.

Воин света знает, что чего стоит.

Он принимает решение поступить так, а не иначе, руководствуясь вдохновением и верой. Но порой он встречает людей, которые зовут его принять участие в борьбе за то, что ему чуждо, выйти на поле сражения, неведомого ему или неинтересного. Эти люди стремятся сделать так, чтобы воин принял вызов, важный для них — но не для него.

И часто это — люди, близкие воину, любящие его, верящие в его силу, и потому требующие, чтобы он пришел к ним на помощь.

Когда это происходит, воин улыбается, старается доказать им, что любит их, — но не отвечает на их призыв.

Истинный воин света всегда сам избирает себе поле сражения.

Воин света превзошел науку потерь. И, потерпев поражение, он не изображает безразличия к этому; не произносит фраз вроде «Да ну, для меня это совершенно не важно» или «Не больно-то и хотелось». Он принимает поражение как поражение — и не тщится представить его победой.

Он знает, какую боль причиняют раны, как горько ощущать равнодушие друзей, какое одиночество испытываешь после потери близкого. В такие минуты воин говорит себе: «Я сражался и потерпел поражение. Я проиграл первую битву».

И эти слова вселяют в него новые силы. Воин знает, что нет людей, которые всегда и во всем одерживали бы верх, и умеет отличать свои ошибки от несчастного стечения обстоятельств.

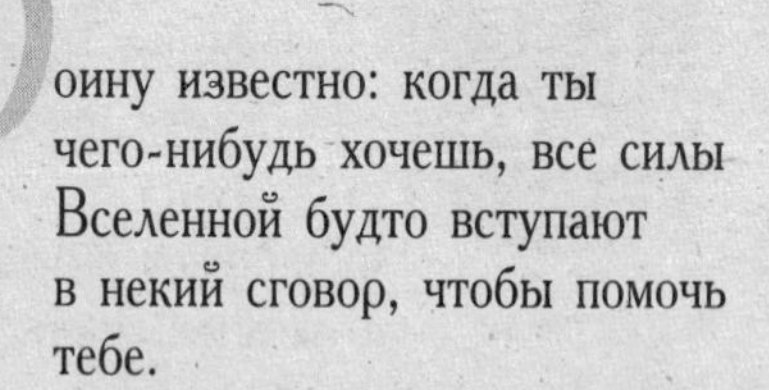

Воину известно: когда ты чего-нибудь хочешь, все силы Вселенной будто вступают в некий сговор, чтобы помочь тебе.

И по этой причине он очень осторожен со своими мыслями. Под добрыми намерениями таятся чувства, в которых никто не рискнет признаться даже самому себе — мстительность, стремление к самоуничтожению, вина, страх победы, мрачное ликование, порождаемое чужой бедой.

Вселенная не разбирается в таких тонкостях, а идет навстречу нашим желаниям. И потому воин, набравшись мужества, заглядывает в самые потемки собственной души, чтобы удостовериться, что он не просит ничего пагубного для самого себя.

И он всегда очень осторожен со своими мыслями.

Воин помнит слова Иисуса: Да будет слово ваше «да» — «да», «нет» — «нет». Когда воин принимает на себя ответственность, он держит слово.

Те, кто дают, но не исполняют обещания, теряют самоуважение и стыдятся своих поступков. Вся жизнь этих людей превращается в постоянное бегство: они тратят гораздо больше сил на поиски благовидных предлогов для отречения от тех слов, которые произносились ими прежде, чем воин — на то, чтобы обещание свое исполнить.

Случается иногда так, что и воин, взяв на себя неразумное обязательство, попадает под власть предрассудка. Впредь он никогда не повторит такого, но все равно никогда не уклоняется он от выполнения обещанного — слово его свято, и полной мерой платит он за свой безотчетный порыв.

Выиграв битву, воин празднует победу.

Она стоила ему дорого — были трудные минуты, ночи мучительных сомнений, дни нескончаемых ожиданий. С древнейших времен обычай отмечать победу входил в ритуал самой жизни и обставлялся особыми церемониями.

Товарищи, глядя, как ликует воин света, недоумевают: «Зачем он устраивает такое торжество? Ведь в следующем бою его, быть может, ждет разочарование. Ведь он может навлечь на себя ярость врагов».

Но воин знает, чем объясняются его действия. Он хочет сполна насладиться уверенностью в себе, ибо это — самый драгоценный дар, приносимый победой.

Сегодня он празднует победу, одержанную вчера, и в нынешнем триумфе черпает силы для завтрашних сражений.

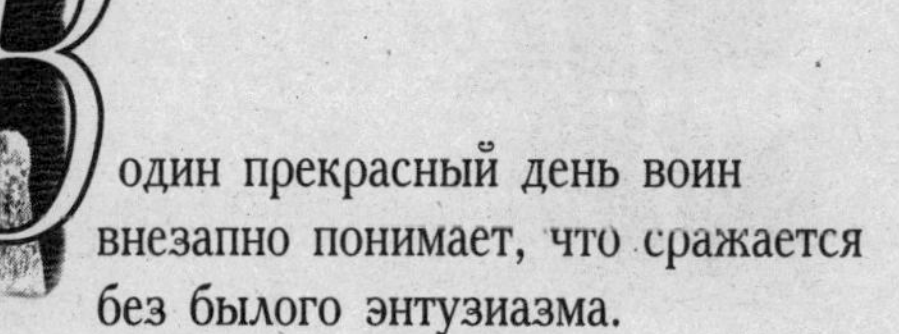

В один прекрасный день воин внезапно понимает, что сражается без былого энтузиазма.

Он продолжает делать то же, что и делал прежде, но ему кажется, что все движения утратили смысл. В такую минуту ему остается только одно — по-прежнему вести Праведный Бой. Не важно, по какой причине исполняет он то, что должно, — из чувства долга ли, из страха или еще почему, но он не сходит со Своей Стези.

Он знает, что ангел, осенявший его вдохновением, отлучился. Но воин все силы души направляет на битву, воин упорствует — даже когда все кажется бесполезным. Пройдет немного времени, и ангел вернется, и одного лишь шелеста его крыл довольно будет для того, чтобы в душе вновь воцарилась радость.

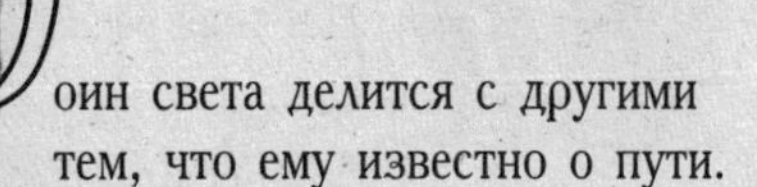

Воин света делится с другими тем, что ему известно о пути.

Тот, кто помогает другим, может рассчитывать на помощь. Тот, кого научили, должен учить других. И потому воин, сидя у костра, рассказывает, как проходил его бранный день.

«Зачем раскрывать свои стратегические секреты? — шепчет ему друг. — Разве ты не понимаешь, чем рискуешь — тебе придется разделить свои победы с другими?»

Воин в ответ лишь улыбается, не произнося ни слова. Он знает, что, если рай, который он обретет в конце пути, будет пуст и безлюден, то, значит, борьба не имела никакого смысла.

Воин света давно усвоил, что Бог посылает одиночество, чтобы научить человека искусству общежития.

Бог использует гнев, чтобы показать бесконечную ценность мира, а скуку — чтобы яснее стала важность риска и самозабвения.

Бог применяет молчание, чтобы внушить, как ответственно должно быть каждое слово. Усталость — чтобы въяве предстала прелесть бодрости. Недуг — чтобы мы полнее осознали благодать здоровья.

С помощью огня Бог дает нам представление о воде. С помощью земли — учит нас тому, что такое воздух. А смертью Бог показывает, сколь важна жизнь.

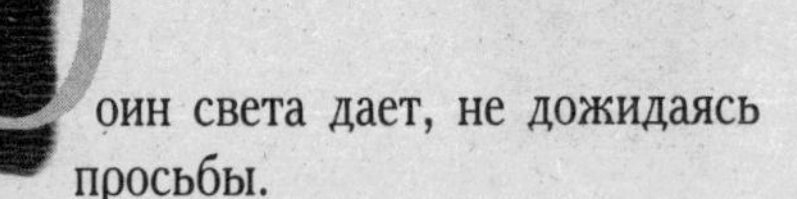

Воин света дает, не дожидаясь просьбы.

Видя такое, кое-кто из его товарищей замечает: «Кому нужно, тот попросит».

Но воин знает, что на свете много людей, которые не могут — просто-напросто *не могут* — просить о помощи. Рядом с ним живут люди с таким хрупким сердцем, что и любовь, посещающая их, — слаба и болезненна. Эти люди изголодались по ласке, но стыдятся показать это.

Воин собирает их у костра, рассказывает разные случаи, делится с ними своими припасами, хмелеет вместе с ними. И на следующий день они чувствуют себя лучше.

Тот, кто безразличен к чужому несчастью, — самый несчастный.

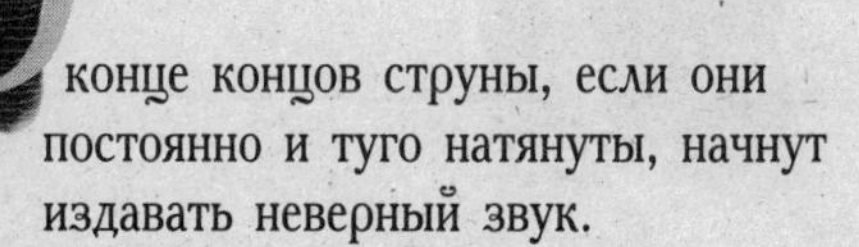

В конце концов струны, если они постоянно и туго натянуты, начнут издавать неверный звук.

Воины, постоянно упражняющиеся в боевом искусстве, в битве теряют способность принимать и выполнять мгновенные решения. Конь, изо дня в день берущий барьеры, сломает себе ногу. Лук, тетива которого не ослабляется ни на миг, не сможет с прежней силой посылать стрелы в цель.

И потому воин света, даже если он не расположен к этому, старается найти отдохновение в мелочах повседневности.

Воин света прислушивается к словам Лао-цзы, который учит, что мы должны, отрешась от понятий «дни» и «часы», зорче вглядываться в каждую минуту.

Лишь так сможет воин решить некоторые проблемы еще до того, как они возникнут: уделяя пристальное внимание мелочам, сумеет он избежать крупных потрясений.

Но думать о мелочах — вовсе не значит быть мелким. Чрезмерная озабоченность способна изгнать из жизни малейший проблеск радости.

Воин знает, что великая мечта состоит из великого множества различных вещей — так же как солнечный свет складывается из миллионов лучей.

Выпадают минуты, когда путь, которым следует воин, становится привычен
и однообразно-скучен.

В таких случаях ему помогает наставление Нахмана Брацлавского: «Если ты не в силах медитировать, то должен всего лишь повторять простое слово, ибо это благотворно для души. Повторяй одно слово, повторяй его снова и снова, не останавливаясь, бессчетное число раз. В конце концов оно утратит свой смысл и обретет новое значение. Бог откроет двери,
и ты с помощью этого простого слова сможешь высказать все, что хочешь».

Когда воин вынужден много раз выполнять одно и то же задание, он использует этот способ, и нудная обязанность превращается в молитву.

5-462

Воину не дано быть полностью уверенным в «правильности» всего, что он делает, но есть путь, которым он должен следовать, и к этому пути он старается приспособиться в соответствии со временем года.

Летом и приемы борьбы, и снаряжение для этой борьбы — не такие, как зимой. Воин наделен должной гибкостью и потому судит о мире не в категориях «верно» и «неправильно», но на основании «отношения, наиболее подходящего для каждого данного момента».

Воин знает, что и его товарищи также должны применяться к обстоятельствам, и потому его не удивляет, когда отношение их меняется. Каждому из них он дает срок, необходимый для того, чтобы они могли оправдать свои деяния.

Но, столкнувшись с изменой, воин неумолим.

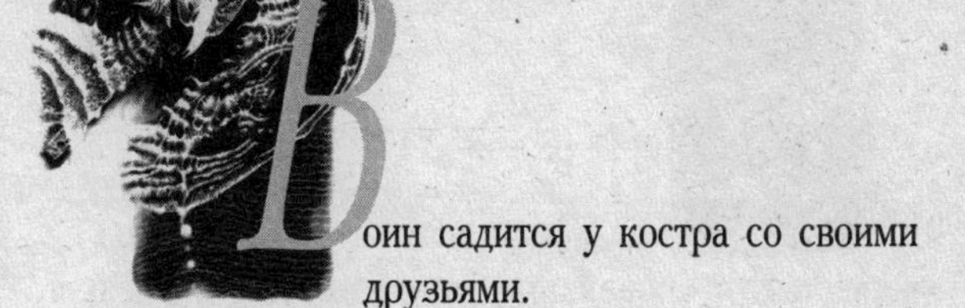

Воин садится у костра со своими друзьями.

В течение долгих часов они осыпают друг друга взаимными обвинениями, но ночь проводят в одной палатке, предав былые обиды забвению. Время от времени появляется среди них новичок. Поскольку нет еще у него общей с другими истории, он показывает лишь свои дарования и возможности, отчего кое-кто смотрит на него как на учителя.

Однако воин света никогда не сравнивает новоприбывшего со своими старыми боевыми товарищами. «Добро пожаловать!» — говорит он ему, но доверять станет лишь после того, как узнает не только достоинства его, но и слабости.

Воин света не вступит в битву, покуда не постигнет предел возможностей его соратника.

Воин помнит старинное народное речение: «Если бы раскаянье убивало...»

И он знает, что раскаянье и в самом деле убивает — медленно, пядь за пядью разъедает оно душу того, кто совершил недостойное деяние, и неотвратимо ведет его к самоуничтожению.

Воин не хочет такой смерти. Если случается ему причинить кому-нибудь зло, пагубу или ущерб — ибо он человек со всеми присущими человеку пороками и недостатками, — то он никогда не стыдится попросить прощения.

Если время еще не упущено безвозвратно, всеми силами стремится он исправить свою ошибку. Если же человека, которого настигла его рука, уже нет в живых, воин сделает добро незнакомцу.

Воин света не раскаивается, ибо раскаянье убивает. Он готов смириться, чтобы устранить зло, которое причинил.

Всякому воину света случалось слышать от матери такие слова: «Мой сын сделал то-то и то-то в умоисступлении, потеряв голову, но — в сущности — человек он очень хороший».

Воин, хоть и почитает мать, знает, что это не так. Он не винит себя за необдуманные поступки, но и не прощает себе допущенных ошибок, ибо в этом случае никогда не сумеет исправить свой путь.

Вооружась здравым смыслом, судит он о результатах своих деяний — о результатах, а не о тех намерениях, которыми руководствовался, осуществляя деяние. Он несет ответственность за все, что совершил, — пусть даже дорого приходится ему платить за ошибку.

«Всевышний судит о дереве по его плодам, а не по корням» — гласит старинная арабская пословица.

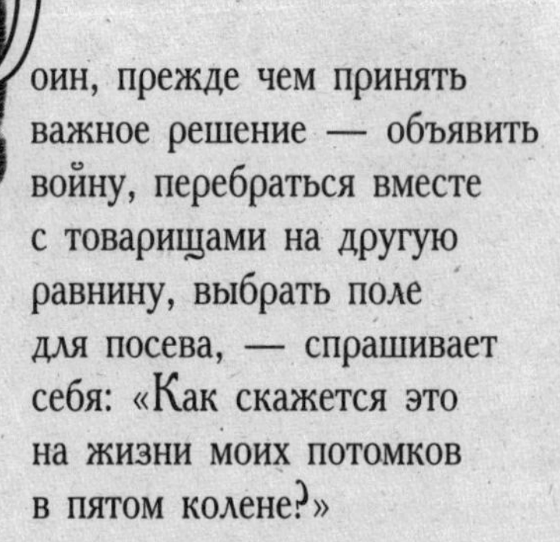

Воин, прежде чем принять важное решение — объявить войну, перебраться вместе с товарищами на другую равнину, выбрать поле для посева, — спрашивает себя: «Как скажется это на жизни моих потомков в пятом колене?»

Воин знает, что каждое деяние имеет долговременные последствия. Он хочет знать, какой мир он оставит своим праправнукам.

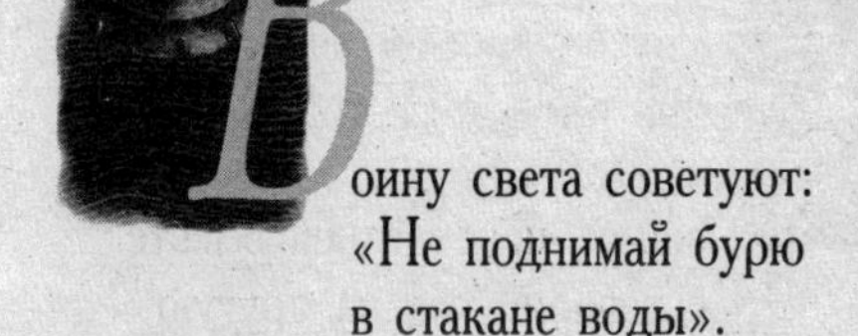

Воину света советуют: «Не поднимай бурю в стакане воды».

Но он не склонен преувеличивать трудности и всегда старается сохранить необходимое спокойствие.

Однако он не берется оценивать меру чужого страдания.

Какая-нибудь мелочь, которая для него самого не имеет никакого значения, может сыграть роль запала — и отчаяние, копившееся в душе его брата, грянет взрывом. Воин уважает страдание своего ближнего и не сравнивает его с собственным горем.

Чаша страданий у каждого — своя.

Для совершения духовного пути нужна прежде всего отвага», — говорил Ганди.

Людям трусливым мир представляется пугающим и грозным. В поисках обманчивой безопасности они живут, не бросая и не принимая вызова, и до зубов вооружаются для защиты того, чем — как им кажется — они владеют. Люди трусливые сами возводят стены своей темницы.

Воин света проникает мыслью за горизонт. Воин знает, что если он ничего не сделает для мира, то и никто больше этого не сделает.

И вот он вступает в Праведный Бой и помогает другим, даже не вполне понимая, почему он это делает.

Воин света внимательно читает послание Души Мира к Чико Хавьеру:

«После того как сумеешь преодолеть трудности, возвращайся памятью своей не к тому, сколь тяжко тебе это далось, а к радости, что ты с честью сумел выдержать это испытание. Оправившись после тяжкого недуга, думай не о страданиях, которые пришлось пережить, но о благодати Бога, позволившего тебе исцелиться.

До гробовой доски храни в памяти то хорошее и доброе, что родилось из трудностей. Они станут испытанием твоей силы и придадут тебе уверенности перед лицом новых препятствий.

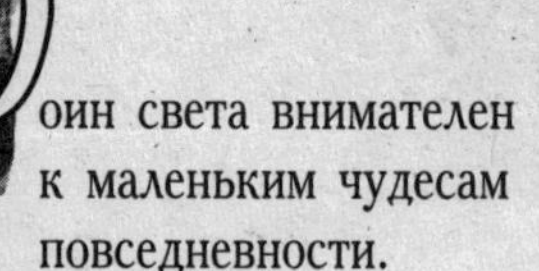

Воин света внимателен к маленьким чудесам повседневности.

Если он способен видеть прекрасное, то потому, что носит прекрасное внутри себя — ибо мир подобен зеркалу, в котором каждый видит собственное отражение. Помня о своих пороках, зная свою ограниченность, воин все же делает все возможное для того, чтобы сохранить в критические моменты бодрость духа.

И в конечном счете мир постарается помочь ему, хотя все вокруг вроде бы свидетельствует о том, что это не так.

В тех мастерских, где вырабатывают мысль, скапливается мусор чувств и ощущений.

Это — прошлые страдания, ныне ни на что больше не годные. Это — предосторожности, бывшие некогда очень важными, а теперь бессмысленные и тщетные.

И у воина света есть воспоминания, но он умеет отделять полезное от напрасного. Мусор былых радостей и печалей он выбрасывает.

«Но ведь это — часть меня, часть моей судьбы, — говорит ему товарищ. — Почему я должен расставаться с чувствами, которые некогда служили вехами моего бытия?»

Воин света улыбается, но не предпринимает попыток вновь прочувствовать то, что чувствовал раньше. Он меняется — и хочет, чтобы чувства сопровождали его на этом новом пути.

Видя воина в унынии, наставник говорит ему:

«Ты — не такой, каким кажешься в минуту печали. Ты — гораздо больше.

Вспомни, сколь многие ушли навсегда — по причинам, которых мы никогда не поймем, — а ты продолжаешь оставаться здесь. Отчего Бог призвал к себе таких невероятных людей, а тебя — нет?

В этот миг миллионы людей уже отчаялись. Они не досадуют и не плачут; они ничего больше не делают, они лишь ждут, когда пройдет время. Они лишились способности реагировать на происходящее.

А ты — не в пример им — грустишь. Грусть доказывает, что душа твоя не омертвела».

В разгаре сражения, кажущегося нескончаемым, случается порою, что воина осеняет некая идея, и он в одно мгновенье одерживает победу.

И тогда он думает: «Отчего же я столько времени страдал и вел битву, которую можно было бы выиграть силами вполовину меньшими, чем те, которые я истратил?»

Поистине, любая задача выглядит очень простой — после того, как решена. И крупный успех, достигнутый — как теперь кажется — почти без усилий, был последним звеном в цепи мелких побед, которые остались незамеченными.

И тогда воин понимает смысл происшедшего и спит спокойно. И, вместо того чтобы винить себя в том, что слишком долго шел он к цели, воин радуется, что в конце концов все-таки дошел.

Итак, есть два вида молитвы.

Первый — когда человек просит Бога о том, чтобы произошли определенные события, пытаясь подсказать Ему, что надлежит делать. Ни времени, ни пространства для действия не дается Вседержителю. А Он, Который гораздо лучше знает, что на самом деле будет лучше для каждого из нас, не внимает такой молитве, продолжая делать то, что считает нужным. И у молящегося возникает чувство, что молитва его не услышана.

Второй — когда человек, даже не сознавая, какие пути пролагает Создатель, ждет, когда же исполнятся в его жизни предначертания Всевышнего.

Он просит избавления от страданий и горестей, просит ниспослать ему бодрость духа для Праведного Боя, но не забывает повторять ежеминутно: «Да будет воля Твоя».

Воин света молится именно так.

Воин знает, что на всех языках самые важные слова — коротки.

Да.

Бог.

Любовь.

Это слова, которые легко выговариваются и заполняют собой огромные пустые пространства.

Но есть и еще одно слово — оно тоже коротко, — которое многим людям трудно произнести.

Это слово — *«нет»*.

Тот, кто никогда не говорит «нет», считает себя великодушным, понимающим, воспитанным, ибо слово это пользуется славой себялюбивого, бездуховного, злобного.

Но воин не попадается в эту ловушку. Случаются в его жизни такие минуты, когда он, говоря «да» другим, самому себе в это же время говорит «нет».

И потому уста его никогда не произнесут «да», если сердце произносит «нет».

Во-первых: Бог — это самопожертвование. Мы страдаем в этой жизни, но обретем блаженство в следующей.

Во-вторых: тот, кто веселится и забавляется, — дитя. Станем жить в напряжении.

Третье: другие лучше знают, что нам нужно, потому что у них больше опыта.

Четвертое: делать других счастливыми — наша обязанность. Нужно радовать их, даже если это потребует от нас отказа от чего-то очень важного.

Пятое: не следует пить из чаши блаженства, ибо привыкнем к нему — а чаша не всегда оказывается у нас в руках.

Шестое: нужно принимать все кары и наказания. *Мы виновны.*

Седьмое: испытываемый нами страх — это сигнал тревоги. Не будем рисковать.

Таковы заповеди, которым не станет повиноваться ни один воин света.

Великое множество людей толпится посреди дороги, ведущей в рай.

«По какому праву здесь грешники?» — вопрошает пуританин.

«Проститутка хочет участвовать в празднестве!» — кричит моралист.

«Как можно даровать прощение неверной женс — ведь она согрешила?» — осведомляется ревнитель общественных ценностей.

«Как можно исцелять слепого, который помышляет лишь о своем недуге и даже не благодарит за возвращенное ему зрение?» — разрывает на себе одежды кающийся грешник.

«Ты не воспротивился тому, чтобы женщина умастила твои волосы дорогим маслом! Почему бы не продать его и не купить на эти деньги хлеба?» — топает ногами аскет.

Иисус улыбается и держит врата открытыми. И воины света входят в них, какие бы истерические крики ни летели им вслед.

Противник наделен мудростью. При первой же возможности пускает он в ход свое самое надежное и действенное оружие — козни. А применив его, может уже больше не прилагать усилий — другие будут действовать вместо него. Неосторожно сорвавшиеся слова уничтожат месяцы преданности, годы, ушедшие на поиски гармонии.

Часто бывает, что воин попадает в эту западню. Он не знает, с какой стороны обрушится на него удар, не знает, как опровергнуть ложь. Козни не дают права на защиту, интрига выносит приговор без суда.

И тогда воин, смирясь с последствиями, принимает незаслуженную им кару — ибо слово могущественно, и он это знает. Но он страдает молча и никогда не станет бить врага его же оружием.

Воин света — не трус.

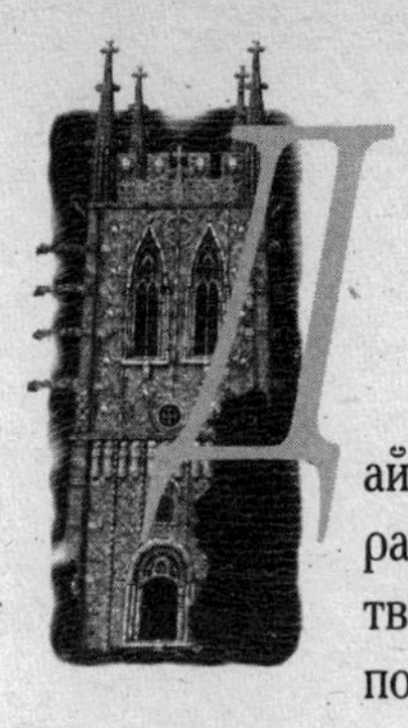

«Дай глупцу тысячу разумов — все равно ему будет нужен лишь твой» — гласит арабская пословица.

Начиная возделывать свой сад, воин света замечает, что сосед следит за его работой, трепетно мечтая дать совет — как посадить деяние, вскопать мысль, оросить завоевание.

Если воин прислушается к этим советам, то будет в конце концов заниматься чужим делом, и сад, который он сейчас возделывает, станет воплощением соседской идеи.

Но истинный воин света знает, что у каждого сада — своя тайна и лишь терпеливые руки садовника способны тайну эту раскрыть. И потому он предпочитает устремить все помыслы и внимание к солнцу, к дождю, к временам года.

Ибо ему известно — глупец, которого слишком сильно занимает чужой сад, не будет заботиться о своем собственном.

Вступать в борьбу следует с открытыми глазами. И нужно, чтобы рядом с тобой были верные.

Случается так, что товарищ, сражавшийся бок о бок с воином света, становится его противником.

Прежде всех прочих чувств это вызывает ненависть; но воин знает, что ослепленный ею боец обречен пропасть и сгинуть в бою.

Тогда он старается припомнить все то хорошее и доброе, что делал нынешний противник в ту пору, когда еще был соратником. Старается понять, что же привело того к столь резкой перемене, какие душевные раны, накапливаясь и друг друга усиливая, способствовали этому. Старается осознать, что заставило каждого из них прервать диалог.

Нет людей совершенных, как нет и безнадежно дурных. Вот о чем размышляет воин, обнаружив, что у него появился новый противник.

Воин света знает, что цель не оправдывает средства.

Ибо целей нет вообще — есть лишь средства. Жизнь ведет его от непознанного к неизведанному. Каждый миг бытия окутан этой жгучей тайной: воин не знает, откуда он пришел, как не знает и куда идет.

Но здесь он оказался не случайно. И душа его ликует, неожиданно пленяясь новыми впечатлениями. Нередко он испытывает и страх, но это для воина — вполне в порядке вещей.

Если воин устремит все свои помыслы исключительно к достижению цели, он способен будет проглядеть знамения, явленные ему на пути. Если он сосредоточит все внимание только на одном вопросе, то потеряет ответы — а ведь они совсем рядом.

И потому воин вверяет себя высшей силе.

Воин света знает —
есть «эффект каскада».

Ему не раз приходилось видеть: человек ведет себя не так, как должно, с тем, у кого не хватает отваги дать ему отпор. А тот, стыдясь проявленного малодушия, обрушит свою ярость на более слабого, который в свой черед отыграется на безответном, — и так вот настоящим потоком хлынет с порога на порог несчастье. Никому не дано предвидеть последствия собственной жестокости.

И потому воин так осмотрителен, пуская в ход свой меч, и признает противником лишь достойного себя. Если же им овладевает гнев, он ударяет кулаком по каменной скале и ушибает себе руку.

Рука вскоре заживет, тогда как у ребенка, которому попало из-за того, что его отец потерпел поражение, шрам сохранится до конца жизни.

Дан приказ перебираться в другое место — и воин видит всех тех, с кем подружился за время своего пути.

Одних он научил слышать, как звенят колокола подводного храма, другим рассказывал разные разности, присев у костра.

Сердце его полно печали, но воин знает, что меч его освящен и что до́лжно повиноваться велениям Того, кому посвятил он свою борьбу.

И тогда воин света благодарит своих спутников, глубоко вздыхает и идет дальше вперед, унося с собой незабываемые воспоминания о пройденном отрезке пути.

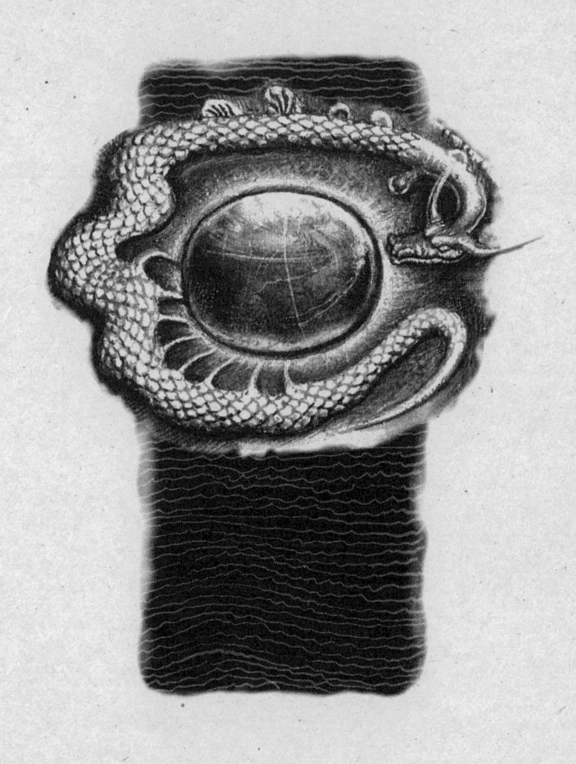

Эпилог

Когда она замолчала, была уже ночь.

Женщина и мальчик долго смотрели на новорожденный месяц.

— То, что вы рассказали мне, полно противоречий, — сказал мальчик.

Женщина встала.

— Прощай, — сказала она. — Ты узнал, что колокольный звон, доносящийся со дна морского, — не выдумка, но услышал его лишь после того, как понял: он нераздельно слит с шумом ветра, криками чаек, шелестом пальмовых листьев.

И точно так же воин света знает: все вокруг него — его победы, его поражения, его восторг, его отчаяние — нераздельно слиты с Праведным Боем. И воин научится в нужный момент использовать нужную стратегию. Воину нет надобности быть последовательным и логичным, ибо он научился жить со своими противоречиями.

— Кто вы? — спросил мальчик.

Но женщина, удаляясь от него, уже шла по водам туда, где блистал новорожденный месяц.

Алхимик

Каждые несколько десятилетий появляется книга, которая навсегда меняет жизни ее читателей. «Алхимик» Пауло Коэльо стал такой книгой. В мире было продано больше 27 миллионов экземпляров этого романа, и «Алхимик» уже обрел статус современной классики.

Это история Сантьяго, юного андалусского пастуха, который мечтает путешествовать по миру в поисках самого чудесного сокровища, какое только было найдено когда-нибудь. Он проходит путь из своего дома в Испании на экзотические рынки Танжера, а затем через пустыни Египта, где его ждет судьбоносная встреча с алхимиком.

«Алхимик» — преображающая читателя книга о мудрости, о необходимости слушать свое сердце, читать знаки, рассыпанные по жизненному пути, и, прежде всего, — следовать своей мечте.

Заир

«Заир» — это книга-исповедь человека, у которого бесследно исчезает жена. Он перебирает в уме все возможные варианты — похищение, шантаж, — но только не то, что Эстер могла уйти, не сказав ни слова, что она могла просто разорвать их отношения. Она раздражает его как никто другой, но вместе с тем вызывает чувство непреодолимой тяги. Какую жизнь она теперь ведет? Будет ли она счастлива без него?

Все его мысли заняты исчезновением Эстер. Он знает, что сможет справиться со своей одержимостью, только если ему удастся разыскать свою жену.

Дьявол и сеньорита Прим

В маленьком горном селении Вискос появляется незнакомец. За плечами у него рюкзак, в котором лежат ноутбук и одиннадцать слитков золота. Он пришел в поисках ответа на вопрос, мучающий его: человеческие существа по природе своей склоняются к добру или злу?

Оказав гостеприимство пришельцу, вся деревня становится участником сложного сценария, который он придумал и под знаком которого пройдет вся их жизнь.

В этом ошеломляющем романе необычный герой Пауло Коэльо ставит город перед необходимостью сделать моральный выбор, и может быть, они никогда не оправятся от последствий своих решений. Полный очарования рассказ о человеческой душе, «Дьявол и сеньорита Прим» показывает реальность добра и зла внутри нас всех и уникальную способность человека выбирать между ними.

На берегу Рио-Пьедра села я и заплакала

Роман «На берегу Рио-Пьедра села я и заплакала» — это история Пилар, независимой, практичной, но мятущейся молодой женщины, которая утомлена рутинностью университетских будней и ищет более глубокого смысла в жизни.

Душу Пилар переворачивает встреча с другом детства, теперь красивым и интригующим преподавателем, по слухам почти чудотворцем. Он сопровождает ее в путешествии по французским Пиренеям, волшебному краю, который издавна был домом святым провидцам и волшебству.

Пятая гора

Спасаясь от преследования, 23-летний Илия вместе с молодой вдовой и ее сыном находит убежище в прекрасном городе Акбар. Пытаясь сохранить здравомыслие в хаосе окружающей его тирании и войны, он теперь еще вынужден выбирать между своей новообретенной любовью и всеподавляющим чувством долга.

Описывая драмы и интриги колоритного и хаотичного мира Ближнего Востока, Пауло Коэльо превращает судьбу Илии в универсальную, волнующую и вдохновляющую историю, одну из тех, что со всей мощью показывают, как любовь и вера в конечном счете могут одержать победу над страданием.

Одиннадцать минут

Великая цель всякого человеческого существа — осознать любовь. Любовь — не в другом, а в нас самих, и мы сами ее в себе пробуждаем. А вот для того, чтобы ее пробудить, и нужен этот другой. Вселенная обретает смысл лишь в том случае, если нам есть с кем поделиться нашими чувствами. Как правило, эти встречи происходят в тот миг, когда мы доходим до предела, когда испытываем потребность умереть и возродиться. Встречи ждут нас — но как часто мы сами уклоняемся от них! И когда мы пришли в отчаяние, поняв, что нам нечего терять, или наоборот — чересчур радуемся жизни, проявляется неизведанное и наша галактика меняет орбиту.

Вероника решает умереть

Казалось бы, у Вероники есть все, что она только могла пожелать. Она молода и красива, у нее множество симпатичных поклонников, с которыми она веселится, есть постоянная работа, любящая семья. Однако Вероника не счастлива — чего-то не хватает в ее жизни. Утром 11 ноября 1997 года она решает умереть. Девушка принимает сверхдозу снотворного, но спустя некоторое время просыпается в Виллете, местной больнице. Там ей сообщают, что, хотя она и осталась в живых, у нее больное сердце и жить ей осталось всего несколько дней...

На протяжении этих немногих дней Вероника, к своему удивлению, обнаруживает себя втянутой в бурную жизнь Виллете. Она становится более внимательной и интересуется другими пациентами. Ее взаимоотношения с людьми в прошлом кажутся ей более понятными, и она начинает осознавать, почему жизнь казалась ей бессмысленной.

В этом стрессовом состоянии Вероника обнаруживает в себе то, что она никогда прежде не позволяла себе чувствовать: ненависть, страх, любопытство, любовь — и даже переживает сексуальное пробуждение. Наперекор всем предрассудкам, она обнаруживает, что полюбила и снова хочет, если это только возможно, жить...

Литературно-художественное издание

ПАУЛО КОЭЛЬО

КНИГА ВОИНА СВЕТА

Перевод с португальского *А. Богдановский*, редактор *И. Старых*

Корректоры *Е. Введенская, Т. Зенова, Е. Ладикова-Роева*

Художник *В. Ерко*, оригинал-макет *И. Петушков*

Дизайн обложки *студия «Закон жанра»*

Издательство «София»
04073, Украина, Киев-73, ул. Фрунзе, 160
ООО Издательский дом «София»,
109028, Россия, Москва, ул. Воронцово поле, 15/38, стр. 9

ЛР № 1027709023759 от 22.11.02. Подписано в печать 21.02.2005 г.
Формат 70x90/32. Усл. печ. л. 6,48. Тираж 15 000 экз. Зак. № 462.

**Отпечатано в полном соответствии
с качеством предоставленных диапозитивов
в ОАО «Можайский полиграфический комбинат».
143200, г. Можайск, ул. Мира, 93.**